X X

Van dezelfde auteurs

Generatie Einstein

Bezoek onze internetsite www.awbruna.nl
voor informatie over al onze boeken en dvd's.

Jeroen Boschma & Inez Groen

Ik ook van jullie!

Een boek over onze kinderen, hoe ze kijken,
wat ze denken en waar ze van houden...

Staatsliedenbuurt

© 2010 Jeroen Boschma & Inez Groen
© 2010 A.W. Bruna Uitgevers B.V., Utrecht

Omslagontwerp
Jeroen Boschma
Fotograaf
www.zerkowitz.com
Model
Pam Boschma
Lay-out
S-PrePress, Sabine & Louise

ISBN 978 90 229 9773 4
NUR 770

Dit boek is gedrukt op papier dat het kenmerk van de Forest Stewardship Council (FSC) mag dragen. Bij dit papier is het zeker dat de productie niet tot bosvernietiging heeft geleid. Een flink deel van de grondstof is afkomstig uit bossen en plantages die worden beheerd volgens de regels van FSC. Van het andere deel van de grondstof is vastgesteld dat hiervoor geen houtkap in de laatste resten waardevol bos heeft plaatsgevonden. Daarom mag dit papier het FSC Mixed Sources-label dragen. Voor dit boek is het FSC-gecertificeerde Munkenprint gebruikt. Dit papier is 100% chloor- en zwavelvrij gebleekt en wordt geleverd door Arctic Paper Munkedals AB, Zweden.

Aan al onze (stief)kinderen: Pam (15), Just (16), Sien (18), Melisa (20) en Sevrin (22)

Misschien zou je het jezelf gemakkelijker maken
als je je de mensen
terug kon denken als kinderen
dat om die en om die
eens een moeder heeft wakker gelegen
dat een vader trots als een pauw
met ze ging wandelen
dat ze een vingertje knelden
tussen de deur
en huilden om een bloedende knie
en dat ze eens in de
eerste klas hebben gezeten
met een veel te groot potlood
in het knuistje

Trinus Riemersma

Inhoud

Voorwoord

Vier jaar oud zit op de rand van het zwembad als ik 'm kom ophalen.
Beentjes in het water, beteuterd gezicht.
De badmeester geeft de andere kindjes aanwijzingen. Vier jaar oud
kijkt me aan. Zelfs zijn bandjes lijken treurig.
'Het gaat niet, hij is vaak verdrietig,' zegt de meester van de iets te
dure cursus na afloop.
Hand in hand lopen we, zwijgend, naar de fiets. Hij klimt op de
stang. 'Ik wil niet zwemmen, papa.'
Volwassenhoofdmotoren worden aangetrokken; wil niet?
Vier jaar oud zit juist op zwemmen omdat zus ook vier jaar oud was
en omdat alle kinderen in de klas erop zitten en omdat als je in het
water valt en omdat je toch een zwemdiploma moet en omdat het
goed is om door te zetten en omdat omdat omdat.
Tevreden over het resultaat van deze wanorde trek ik de conclusie;
hij gaat eraf!

Vier jaar later staat acht jaar oud langs de rand van het zwembad.
Het is de dag! Hij gaat zijn diploma halen. De schouders van het
jongetje naast hem komen tot zijn navel. Het maakt hem niks uit.
Hij lacht en zwaait naar me. Bibberende kinderlijven springen in het
water en drijven voorbij.
Ik ben net zo trots als de ouders naast me. Nee, misschien iets
trotser. Omdat hij zo goed wist wat hij wilde. Misschien trots op
mezelf omdat ik ernaar heb geluisterd.
In elk geval was dat voor mij het moment om in plaats van te kijken
naar kinderen en te kijken hoe anderen het doen, ook te leren zien.
Zien wat ze doen, willen, bedoelen en echt proberen te luisteren.

Het kan, je moet alleen bereid zijn alles wat je weet en denkt te weten niet van belang te laten zijn als je naar kinderen kijkt.
We kunnen veel van ze leren.
Zie maar!
Lees maar!

Bas Westerweel

O ja, acht jaar is nu zestien. Danst in de vooropleiding bij het Nationale Ballet en is vastbesloten op zijn achttiende in het buitenland te gaan wonen.
Ik twijfel geen moment.

Inleiding

Het mooie meisje dat zo lief op het omslag staat geportretteerd en dat iedereen een kusje toeblaast, is geen fotomodel. Het is een van de dochters van Jeroen en zij was zo lief voor ons op de foto te gaan. Het idee voor dit omslag ontstond toen Jeroen wat aan het internetten was en googelde op afbeeldingen van 'kusje'. Als je dat doet vind je een foto van een heel mooi jong meisje dat een kusje naar de toeschouwer blaast. Dat meisje is niet meer. Ze is op jonge leeftijd overleden aan de gevolgen van leukemie. Er is een website voor haar gemaakt, waar de herinnering aan haar levend wordt gehouden. Haar vriendinnen hebben hartverscheurende filmpjes voor haar gemaakt, waarin ze afscheid van hun vriendin nemen en haar herinneren. De filmpjes staan op YouTube.

Zij staat daar niet alleen. Op YouTube, diezelfde plek waar *happy slapping*-filmpjes staan (filmpjes waarin iemand gewoon zomaar een klap krijgt, een tijdje een rage geweest), obscene filmpjes, onzinfilmpjes, je kunt het zo gek niet verzinnen of het is wel gefilmd en het staat er wel op. Er staan wel meer filmpjes waarin afscheid wordt genomen van overleden vriendinnen, kinderen, geliefden. Stuk voor stuk zijn die filmpjes hartverscheurend, maar ze vertellen ook iets wezenlijks over internet en de wereld waarin onze kinderen opgroeien. Internet als simpele kennisverzameling, als veredelde bibliotheek is niet meer: het is de plek geworden waarin we ons laten zien, waar we onze emoties tonen en delen met elkaar en zelfs met onzichtbare toeschouwers. Er zit toch een soort van troost in, dat gezichtsloze vreemden aan de andere kant van de wereld even met je meehuilen en even aan jouw verdriet denken. Dat je zelf even

meevoelt in de liefde van iemand die je niet kent voor iemand anders
die je ook niet kent, aan de andere kant van het scherm. Gevoel, geen
koude platte cijfers, geen rationaliteit, maar emotie. En onze kinderen
en jongeren leven in deze wereld, waarin steeds meer ruimte komt
om je gevoel te laten zien en te delen met anderen.

We waren zo trots!

Op het laatste moment moest Geke toch in het ziekenhuis
bevallen omdat onze dochter in het vruchtwater had
gepoept. Scheurend in een Suzuki Alto met op de
achterbank een bevalkruk naast me raceten we naar het
ziekenhuis. Om drie uur was Sien geboren! En om zeven
uur ontsloegen we onszelf uit het ziekenhuis. Snel naar
huis, weg hier en naar de overkant (we woonden bijna
tegenover het Dijkzicht). Met ons wonder in Gekes armen
namen we plaats in een taxi. In een soort roes hoorden we
de taxichauffeur vragen waar naartoe, de overkant
alstublieft, en of het de eerste was. 'Ja,' antwoordde ik,
waarop hij reageerde met: 'Als je het maar weet, als ze
huilen hebben ze honger.'

Thuis legden we Sien, vernoemd naar Gekes oma, tussen
ons in op de zwart satijnen lakens. Alle boeken, alle
pufcursussen en alle ongevraagde adviezen waren we
ter plekke vergeten. Hier lag ons kind, ons bloed, ons
wonder... en wat nu? Geen idee, maar tja, ze huilt niet, dus
ze heeft geen honger.
Ik ben maar luiers gaan kopen, de allerkleinste, bij de
AH op de Binnenweg. Man, wat was ik trots toen ik *ja* kon
zeggen tegen de caissière die vroeg of het de eerste was.

Jeroen

Love, love, love

Dit boek is geschreven vanuit liefde en het gaat over liefde. Liefde voor ons belangrijkste bezit, kinderen. En als het om kinderen gaat, gaat rationaliteit het raam uit. O, we zeggen wel tegen elkaar dat we keuzes maken gebaseerd op goed doordachte rationele overwegingen, maar in principe komt verstand niet eens in de buurt. Verstand gaat even met vakantie als het om kinderen gaat. Perfect normale en goed functionerende volwassenen worden zelf weer jong in contact met kinderen. Ze duiken op hun knieën, spreken een raar brabbeltaaltje, kopen de duurste spullen, raken in paniek bij het kleinste geluidje: liefde maakt blind, en dat geldt ook voor de liefde die we voelen voor onze kinderen.

Geen onderwerp roept zoveel en zulke heftige emoties op als kinderen. Gevoelens van diepe liefde, tederheid, geluk, tranen, angst, agressie, wantrouwen, onzekerheid, blijdschap, verdriet, pijn, schuld. Het emotiespectrum is misschien wel op zijn breedst als het om kinderen gaat, en waarschijnlijk ook op zijn diepst. Dat die kleine ukkies dat toch met ons kunnen doen! Dat alleen het kijken naar spelend kroost zoveel verschillende emoties kan oproepen: van genegenheid over zoveel speelplezier; van angst dat iemand je eigen kind pest of omverloopt; van gêne als het iemands speelgoed afpakt; van irritatie over de gevoelde geluidsoverlast; van angst voor grote groepen kinderen of jongeren allemaal op één plek; van plezier als je zelf eens meedoet met tikkertje, of van ergernis over de speeltoestellen die de gemeente nu weer heeft neergezet.
Kijken naar een simpele speeltuin wordt zo een complexe gebeurtenis. Kinderen halen zowel het beste als het slechtste in ons naar boven.

Ik zou zo graag willen dat...

Ik kan bijna geen kinderen op straat tegenkomen, of het is mis. Ik schiet vol en moet dan even iets wegslikken. Het maakt niet uit van welke leeftijd. Op het strand zijn het de kleine tweejarigen die waggelend door het zand banjeren, met een schep en emmertje in de hand, op de scholen zijn het de pubers, hun onhandigheid, overslaande stemmen en passie voor alles. Soms gebeurt me dat tijdens lezingen. Een school in Zeeland liet jongeren op het podium vertellen wat hun sterke en wat hun zwakke kanten waren. Vijf minuten daarna moest ik het podium op, maar ik kon niets, zo overmand was ik door emoties. Hoe ik die vijf minuten gered heb weet ik niet meer.

Mensen zeuren over kinderen, instanties zeuren over jongeren. Ik kan daar helemaal niets mee. Ik wilde dat ik dat kon. Hoe graag zou ik wel niet tegen mijn man willen zuchten over het kattenkwaad dat mijn dochter nu weer uitgehaald zou hebben, of discussiëren over de schoolprestaties van mijn zoon. Punt is, die heb ik niet. Geen dochter, geen zoon, geen dwarsigheid, geen nukken, geen ellende, geen slaapgebrek, geen opvoedstress. Helaas.

Inez

D'r is nogal wat mis, zo lijkt het

Wij houden van kinderen, niet alleen die van onszelf en in het geval van Inez van de kinderen die ze zo graag zou willen hebben, maar van alle kinderen en jongeren. Wij doen onderzoek en projecten, we praten met ze en over ze, met hun ouders of met professionals. We zien wat ze doen, we horen wat ze te zeggen hebben en bij al die zaken gebruiken we ons hart. En wij geloven in de kinderen en jongeren van nu en willen dat graag aan iedereen vertellen. Maar in ons enthousiasme vergeten we soms dat lang niet iedereen er zo over denkt als wij...

Het tripje ter inspiratie naar Donner, de grootste boekwinkel van Rotterdam, werd al snel een deprimerende ervaring. Het idee was om in wat boeken te neuzen. Wat zouden collega-schrijvers over kinderen en jongeren te vertellen hebben? Wat zijn de laatste inzichten op het gebied van opvoeding? Wat is het algemene idee dat er heerst over dit thema? Dat soort leuke en interessante vragen. Al erg snel werd duidelijk dat als het om kinderen en jongeren gaat de woorden *interessant* en *leuk* geen rol spelen. Sterker nog, het heersende idee is: kinderen en jongeren zijn problemen met een hoofdletter P. Rij na rij ging over alle soorten opvoedproblemen die je kon hebben. Een gehele tafel was gewijd aan ADHD, ADD en autisme. Vanaf een andere tafel keek Supernanny bestraffend de winkel in, mocht ze een moeder betrappen op verkeerd opvoedgedrag. Hersenen speelden een prominente rol: hoe anders de hersenen van jongeren zijn, hersenen *'under construction'*, hersenen die nog niet 'af' zijn. Verslaving, alcohol en drugs speelden op een andere tafel de hoofdrol.

Maar ik ben heel normaal hoor!

Daar waar kinderen en jongeren niet als defect werden beschreven, kregen de opvoeders ervan langs. Over het heersende narcisme in onze cultuur, of over hoe we met zijn allen nieuwe waarden en normen moeten leren. Uiteraard lagen er in een hoekje ook nog wat boeken van bekende Nederlanders die grappige anekdotes over hun kinderen vertelden, of lollige boekjes over het verschil tussen jongetjes en meisjes, maar die boekjes waren in de minderheid.

Enkele meters wand waren gewijd aan zelfhulp. Hoe kan ik van mezelf een beter persoon maken, hoe kan ik een betere relatie hebben, hoe word ik succesvol/rijk/mooi, zelfs foutloos (*Uitglijders. Hoe te voorkomen dat je fouten maakt.*) Het leverde het akelige gevoel op dat niet alleen wij *under construction* zijn, maar dat we die filosofie naadloos overbrengen op onze kinderen en jongeren. Het boek *Smart but Scattered: The Revolutionary 'Executive Skills' Approach to Helping Kids Reach Their Potential,* was de druppel. In dit boek worden de goedbedoelende ouder strategieën aangereikt om met kinderen om te gaan waarvan de 'executieve' vaardigheden nog niet zo goed ontwikkeld zijn. Denk 'jongetje van tien dat steeds zijn sporttas vergeet'. Denk 'meisje van acht dat haar agenda nog niet zo goed kan indelen'. Denk 'meisje van negen dat nog niet zo goed doorheeft hoe een goede spreekbeurt in elkaar zit'. En hoe je dat als ouder, met een zoveelstappenplan, kunt 'fixen'.

En dan vraag je je af: waar zijn de boeken die gaan over al die kinderen die dit allemaal niet hebben? Die volstrekt normaal zijn? Die heel gewone kinderen, die van konijntjes houden, die bij je op schoot kruipen, die bang worden van films, die ruzie hebben met hun broertjes of zusjes, die huilen als oma is overleden, die voor het eerst naar school gaan en dat heel spannend vinden, waar zijn die? Die ook in deze wereld leven, met al zijn uitdagingen, met internet, games, tv, school, werk en die geen ADHD of iets anders hebben. Die 90 procent van onze jeugd waar niets mee is, kinderen die gewoon zijn, hun best doen en hun leven leiden.

Wij doen alles fout ...

Die negatieve benadering van kinderen en jongeren zit niet alleen in de boeken die worden geschreven, ook de kranten en tijdschriften kunnen er wat van. Als je deze mag geloven gaat het helemaal mis met onze maatschappij en dat is de schuld van onzekere ouders. Onzekere ouders stellen geen grenzen, voeden niet op, corrigeren hun kinderen niet, geven ze in alles hun zin, verwennen ze, noem maar op. Even googelen op 'onzekere ouders' levert pagina na pagina op met artikelen over dit onderwerp en ouders krijgen er in deze artikelen fiks van langs. Onzekerheid is slecht, zo wordt gesteld: 'Overbezorgde ouders maken hun kind ongelukkig en onzeker' (www.vandaag.be, 12 juni 2009); 'Onzekere ouders, financieel hopeloze kinderen', (Erica Verdegaal op nrcnext.nl, 23 juni 2009), 'moderne ouders hebben moeite om de baas te zijn' uit: *Denkend aan Holland* (HP/De Tijd, 24 juni 2005) et cetera. Onzekere ouders zijn verantwoordelijk voor al het leed dat we ondergaan door kinderen en jongeren: criminaliteit, agressiviteit, schooluitval, schulden, verval van waarden en normen, leeglopende kerken. Het lukt nog net niet de opwarming van de aarde en het ineenklappen van de economie op hun conto bij te schrijven.

Overheid, scholen, iedereen wijst met het vingertje naar falende ouders. Zozeer dat zelfs de overheid pleitbezorger aan het worden is voor striktere ouders die hun kinderen bijvoorbeeld weer 'u' laten zeggen. De roep om terugkeer naar een maatschappij met strikte waarden en normen is groot en komt vanuit diverse hoeken. Filosoof Thomas Rosenboom, die het pamflet *Denkend aan Holland* schreef over het onbeschofte gedrag van de moderne Nederlander, stelt: 'We zouden kinderen gewoon eens naar de kerk moeten sturen. Niet voor de godsdienst, maar omdat daar een sfeer heerst waar je eerbied voor moet leren opbrengen. Dat hebben ze nooit geleerd: een sfeer niet verstoren.' Hij ergert zich niet zozeer aan de jeugd van nu, hij is er bang voor: 'Voor het gemak waarmee moderne vrolijkheid kan omslaan in geweld. Dat voel je als je langs een schoolplein loopt: dat gekrijs dat door merg en been gaat. Dat constante rennen en tegen ballen aan schoppen. Ik voel daar een dreiging van geweld in.' Nog even los van het feit dat het wel heel erg triest is als spelende kinderen zulke negatieve emoties kunnen oproepen, feit blijft dat hij niet alleen staat in het gevoel dat de gehele samenleving aan het vervallen is, dat alles wat goed en heilig was is verdwenen en dat 'de goede oude tijd' voorgoed voorbij is. Jemig, nou, ga er maar aan staan. Even samenvattend betekent dit dat ouders geen opvoeding (kunnen of willen) geven aan kinderen waar ook nog eens van alles aan mankeert. Dit moet wel het eind van onze samenleving betekenen, dat kan niet anders.

... en dat terwijl het zo goed gaat

Maar alle gekheid op een stokje, hoe kan dit toch? Hoe kan een samenleving als de onze nu zoveel problemen hebben met kinderen, jongeren en hun ouders? Maar vooral: is dit allemaal wel waar? Klopt dit eigenlijk wel? Want kijk eens goed om je heen. Hoe slecht gaat het nu eigenlijk echt? Is onze jeugd echt zo gedegenereerd? Hebben al onze kinderen ADHD, leerstoornissen, verslavingen aan games, tv, internet, alcohol of drugs? Doen we het als ouders nu echt zo beroerd dat we ons voortdurend schuldig moeten voelen? Gaat, kortom, onze hele cultuur naar de kl...?

Nou nee dus, het tegendeel is waar. Kinderen van nu zijn gelukkiger dan ooit en geven hun ouders gemiddeld een 9,5 (we hebben het ze gevraagd, ze zeiden het echt). We hebben nog nooit zoveel hoger opgeleide jongeren gehad, jeugdcriminaliteit is al jaren dalende, steeds minder jongeren gaan roken[1] en het percentage kinderen en jongeren dat verslaafd raakt aan games is gelukkig nog erg klein[2].

Dit neemt niet weg dat de diverse problemen die een kind kan hebben wel degelijk reëel zijn – maar we doen onszelf en onze kinderen tekort door ervan uit te gaan dat die problemen universeel zijn en dat iedereen ze heeft. Niet iedere ouder die even niet weet hoe iets het best aangepakt kan worden, is verschrikkelijk onzeker. Niet ieder kind dat elke dag gamet is een gameverslaafde. Niet iedere ouder die overlegt met kinderen stelt nooit regels en niet ieder kind dat om iets vraagt is hebzuchtig en alleen maar uit op nog meer spullen. Je kunt jezelf beter deze vraag stellen: kijken we wel echt naar kinderen en zien we ze wel voor wat ze echt zijn, echt vragen, dromen en willen? Want als je dat doet, als je stopt met alleen maar kijken met je ogen en kinderen en jongeren gaat zien met je hart, dan verandert het plaatje.

En ze zijn zo leuk!

Dit boek gaat over kinderen en is geschreven vanuit kinderen. Kinderen die spelen, die leren, die vriendjes maken, die af en toe ruzie willen maken (want het goedmaken is zo leuk), en die vooral ook veel van hun ouders houden (want ze hebben immers de leukste ouders van de hele wereld). In dit boek geen visie over defecten die 'gefixt' moeten worden, geen opsomming van problemen, geen opvoedboek, geen tips en trucs over de omgang met moeilijke peuters/kleuters/pubers, geen verwijten aan het adres van ouders of aan hun kinderen en vooral geen wanhoop over hoe slecht het nu weer met onze cultuur gaat. In dit boek is het glas niet halfleeg, maar eigenlijk boordevol. Kinderen en jongeren van nu laten zeer veel positieve kenmerken zien, gaan op hun eigen wijze om met alles wat deze wereld ze biedt en groeien op tot zeer interessante volwassenen. We schetsen hiermee een beeld van hun werkelijkheid, van wat voor kinderen de normale wereld is. Want hoe bijzonder onze wereld is, hoe snel hij ook verandert, hoeveel er ook gebeurt, voor kinderen is elke wereld – elk gezin, elke school – zijn alle vriendjes en vriendinnetjes, de normale wereld. En aan die wereld zijn ze perfect aangepast en ze pakken het als startpunt voor hun eigen ontwikkeling.

We staan erbij, kijken ernaar en genieten ervan

Kinderen mogen dan nog wel niet volwassen zijn, nog niet volgroeid en uitgerijpt, ze zijn zeker geen lege vaten waar opvoeding en onderwijs in gegoten moeten worden, omdat het anders 'misgaat'. Kinderen hebben hun eigen karakter, een eigen gevoel en al voordat ze het überhaupt kunnen praten een eigen mening. Kinderen kijken naar de wereld en maken daarin hun eigen ontwikkeling door, soms dankzij, soms ondanks hun opvoeding of educatie op school. In al die discussies over hoe goed ouders nu wel of niet kunnen opvoeden, hoe goed het onderwijssysteem nu wel of niet werkt, wordt de stem van de kinderen vaak vergeten – in onze ogen onterecht. Een kind maakt er het beste en het zijne of hare van, altijd met een open blik en verrassend gemak, en wij vinden dit helemaal geweldig. We staan erbij, we kijken ernaar en we genieten ervan.
In dit boek zien we hoe kinderen spelen, leren, hoe ze vriendjes (willen) maken, waar ze blij van worden, wat ze leuk vinden om te doen.

Maar voordat we de wereld van onze kinderen induiken, moeten we even terug naar de tijd waarin velen van ons kind of jongere waren... die van de punk, de new wave, de babyzeep in je haar, die enorme schoudervullingen.

Voordat we beginnen:
hoe was het ook alweer?

Carrière maken (voordat de bom valt)
Werken aan m'n toekomst (voordat de bom valt)
Ik ren door m'n agenda (voordat de bom valt)
Veilig in het ziekenfonds (voordat de bom valt)

– *De Bom*, Doe maar

Wow – die bom, weten we het nog? Die elk moment kon vallen? Dat constante gevoel dat het eindig was en alles wat je deed zinloos? Want waarom zou je naar school gaan, je best doen, een diploma halen, als alles elk moment afgelopen kon zijn? Doemdenken, een geweldig woord bedacht door Koot en Bie[3], gaf goed weer hoe somber we waren, hoe pessimistisch, hoe het leek dat het nooit meer goed zou komen met ons en de wereld. Ad 's-Gravesande sprak in de Krakeling met 'de jeugd van 1984', met jongeren die diploma's hadden gehaald, over hun mogelijkheden werk te vinden en over hun toekomst. Werkloosheid was dat jaar verdrievoudigd en schrijnend waren de verhalen van de toenmalige jongeren. Ook al heerste er een sfeer van 'als je wilt werken, dan vind je heus wel wat,' duidelijk werd dat het niet makkelijk was jong te zijn in de jaren tachtig. No *future*, zei Ad, en zo voelde het ook.

Dus werden we punk of kakker, deden we blije disco of anarchistische pogo, dronken we stiekem in duistere holen, in kraakpanden of stonden we rijen dik tegenover elkaar in de disco (met de tasjes tussen ons in op de grond) waar DJ Harry (of Hans of Kees) de plaatjes aan elkaar praatte, dansten we voor het eerst op It's *raining man* en Paradise *by the dashboard light* en gaandeweg werd die toekomst beter, mooier en almaar minder somber, bleef die bom lekker liggen waar hij lag, de Derde Wereldoorlog die zo onafwendbaar leek, wendde zich af, we kregen uiteindelijk toch die baan, toch dat geld, toch dat huis, hond, lening en we vergaten hoe het was.

Want hoe het was, dat was vroeger en 'vroeger is dood', zei Inez van Dullemen al in haar gelijknamige boek uit 1976. Wie weet nog hoe het echt was? Wie denkt weleens terug aan 'vroeger', aan hoe het was, thuis, op school, op straat, in de wijk, in het dorp... 'Ik was een kind in de jaren negentig,' zegt Da_Sandman in een column op foknieuws.nl. 'Ik kreeg Flippo's bij een zak chips. Daar kon je mee flippoën. Of verzamelen in een map. Wie ze niet had, hoorde er toch echt niet bij. Als het regende kon je niet flippoën. Dus zette je je Nintendo aan. Kroop je in de huid van een Italiaanse loodgieter. Of zijn broer. Moest je de prinses gaan redden uit de klauwen van een schildpadachtige. Of je zette je 486 personal computer aan. Speelde je *Lemmings*, of *SimCity*. Dat startte je op met DOS. En dat zag je in VGA-beeld. Later kreeg je Windows. Had je een harde schijf van 20 MB. Bewaarde je files op een klein schijfje. Waar je er dan ook honderden van had.' In reactie daarop schreef zaanhaan over een nog eerdere jeugd: 'Toen waren er nog geen cd's, mp3's of Napsters en KaZaA's. Als je muziek wilde jatten moest je helemaal naar de platenwinkel. Of je zat bij de radio te wachten met je cassetterecorder om een nummer op te nemen wat toch nooit lukte omdat die pokken-dj altijd erdoor praatte bij het begin van een nummer en het zo helemaal verziekte. En had je geld dan kocht je het singeltje van vierenhalve gulden (ach ja, die gulden...) en kreeg je alleen dat wat je kocht + een B-kant. Geen bonustracks, remixen en twintig andere uitvoeringen waar eigenlijk geen moer aan is. Je moest voor het andere nummer zelf de plaat omdraaien en de platenspeler weer opstarten.'

Uit de oude doos, en toch voor velen van onze generatie heel herkenbaar, want dit was onze jeugd. Niks internet, niks computers, niks mobiele telefoons. Wil niet zeggen dat het slechter was, o nee, dat nu niet zozeer. Wij hadden per slot van rekening Michael Jackson toen hij nog fris en jong was en de mode waar de meisjes van nu in lopen, daar liepen wij ook in hoor, maar dan voor het eerst, dûh.
Beter was het niet, slechter ook niet: het was gewoon anders. Voor ons was die tijd en alles wat erin gebeurde normaal. Hoe we werden opgevoed was normaal, hoe we op school les kregen, wat er gebeurde op tv, noem maar op. Het was allemaal onderdeel van onze eigen dagelijkse wereld.

En dat geldt voor onze kinderen en jongeren net zo hard. Voor hen is deze wereld, met dat internet, die mobiele telefoons en die computers wel normaal. Als je wilt weten hoe het gaat met onze kinderen, dan moet je eerst even deze eerste hobbel nemen: begrijp dat dit nu, dit alles, wat we er ook van vinden en denken, dus volstrekt normaal is voor onze kinderen. Als je kijkt naar wat kinderen doen, als je luistert naar wat ze zeggen en je houdt in je achterhoofd dat hun uitgangspunt, hun vertrekpunt hun eigen thuis-, - school- en leefsituatie is, in het hier en nu, met alles wat het hier en nu kenmerkt, dan valt plotseling een hoop gedrag te verklaren.

In de komende hoofdstukken willen we je meenemen in de wereld zoals die is voor onze kinderen en jongeren. We willen laten zien dat wat onze kinderen doen en denken eigenlijk volstrekt normaal is en dat het gewoon heel goed gaat met ze.

Veel van onze angsten hebben we omdat wij denken te wéten wat 'normaal' is – maar wat wij daarover hebben geleerd is verouderd, stamt uit een andere tijd, uit de tijd dat wij zelf jong waren. Als je dat loslaat, dan creëer je ruimte voor het zien van kinderen zoals ze daadwerkelijk zijn, in plaats van er een negatief waardeoordeel op te plakken. Want ja, kinderen van nu kunnen onmogelijk zijn en doen wat wij destijds waren en deden.

Ik hou van dinosaurussen, en Pokémon, en een bal, en en en (maar vooral van spelen)

Stijn ligt op de grond met een stapel plastic dinosaurussen, waarmee hij, heel serieus, aan het spelen is, in een fantasiewereld die bevolkt wordt door deze enorme dieren, in alle soorten en maten. Hij is viereneenhalf en kent ze allemaal bij naam. Ben je ooit weleens verbeterd door een vierjarige (neeheee, dat is een triceratops) over dinosaurussen of heb je weleens een college gehad van zo'n knulletje over de eigenschappen van de diverse ondersoorten ervan? Of sterker nog, een zevenjarige die alle eigenschappen van alle, toen nog zo'n 250[4], Pokémon kent en alle evolutiestadia? Dat betekent 250 fantasiebeesten met een Japanse naam, die elk twee of drie eigenschappen hebben, twee keer kunnen evolueren, en tijdens elke fase nieuwe eigenschappen krijgen, waar die zevenjarige ook over kan vertellen? Of natekenen? Spelen is geweldig, spelen is leuk, samen spelen nog beter en spelen is toevallig ook nog eens hartstikke leerzaam. Toch is de wereld van het speelgoed niet de leukste of de makkelijkste.

'Wij werken alleen met personeel dat niets maar dan ook niets van speelgoed afweet,' vertelde een manager van speelgoedketen Bart Smit. 'We gaan ervan uit dat kinderen zelf de experts zijn en weten wat ze willen. Wij zorgen alleen voor de voorraad, de keuze kunnen zij zelf wel maken.' Als iets een trieste plek is, dan is het wel een speelgoedwinkel. Het zou een magische plek moeten zijn, de plek waar elk kinderhart sneller van zou moeten kloppen, maar in de praktijk zijn het lelijk ingerichte hokken waar dozen vol roze of zwart plastic uit Korea de ruimte domineren. Speelgoed is *big business* en in Nederland verbergen we dat niet.

In de Verenigde Staten is de speelgoedindustrie minstens zo *big*, maar daar zijn de speelgoedwinkels erop ingericht kinderen aan het spelen en betrokken te krijgen, zodat zij hun ouders kunnen overtuigen van de aanschaf van het een of ander. Een bezoek aan de Toys 'R' Us in New York heeft meer weg van een bezoek aan een attractiepark dan een tripje naar de supermarkt zoals waar het in Nederland op lijkt. Een belevenis, waarbij de hoop is dat de kinderen zeuren om dat ene leuke stuk speelgoed dat die leuke meneer demonstreerde in de winkel.

Ik leer van spelen (hoe leuk of hoe stom het speelgoed ook is)

Het is dan ook heel lastig om erachter te komen waar kinderen mee willen spelen, wat het perfecte cadeau is voor neefje/nichtje of kleinkind. Het winkelpersoneel weet van niets en de kinderen zelf kunnen het wel aanwijzen in een gids omdat het er mooi/leuk uitziet, maar niet omdat ze het echt weten, behalve als ze het kennen van vriendjes. Toch willen we uiteraard wel het goede speelgoed geven, iets wat leuk is, wat de kinderen gaaf of cool vinden, waar ze ook echt mee spelen en wat tegelijkertijd hun ontwikkeling op de een of andere manier stimuleert of educatief is. Want spelen is belangrijk, essentieel zelfs, voor de ontwikkeling van kinderen. 'Spelen is geen tijdverspilling,' zei Langeveld over kleuter en spel in *De opvoeding* uit 1949. Spelen is goed want het dient een doel, een opvoedkundig doel. En het instrument daartoe, het speelgoed, kan dan ook niet gewoon zomaar iets leuks zijn,

De ideale speelgoedwinkel

De ultieme speelgoedwinkel is voor kinderen als een museum. Een hemel waar al het speelgoed prachtig in elkaar gezet in vitrines te zien is. Je kunt er niet aankomen, maar je ziet hoe mooi het is! En dat maakt het heel begeerlijk, want als je het dan zelf krijgt mag je het niet alleen vasthouden, maar mag je er ook nog mee spelen.

Dozen zoals ze nu opgestapeld liggen, moeten natuurlijk ook niet te zien zijn, het moet zijn als een schoenenwinkel of de IKEA met zo'n magazijn en zo. Bovendien moeten er mensen werken die er echt verstand van hebben. Nu kan niet iedereen overal verstand van hebben maar als ze dan een keer de 'master' van de Kolonisten van Catan in de winkel hebben (de grote kampioen) dan kun je er naartoe gaan en van hem leren.

Ook moet de winkel álles hebben. Dus alle Playmobil-poppetjes en ook vooral los, zodat je niet allemaal dezelfde hebt maar die welke jij het leukst vindt. Als je vader brandweerman is wil je natuurlijk een brandweermanpoppetje en als je vader voetballer is, een voetbalpoppetje.
Erg is ook dat de verpakkingen allemaal zo groot zijn en dat er alleen maar lucht in zit. De verpakking moet juist zo klein mogelijk zijn zodat als je het cadeautje openmaakt er dan meer inzit dan wat je dacht toen je de maat van het cadeautje zag.

En dan een inpak-knutseltafel zodat je het cadeautje dat je hebt gekocht voor je beste vriendje nog mooier kunt maken...

Fantaserende kinderen in een onderzoek naar speelgoed, SARV, 2006 het moet een ontwikkelingsdoel hebben. Als je een Early Learning Centre binnenloopt komen de educatieve speeltjes je tegemoet, speeltoestellen met lampjes, geluidjes, knopjes, alles bedoeld om de zintuigen te prikkelen, dvd's van *Baby Einstein* waarbij kinderen zo jong mogelijk al worden blootgesteld aan klassieke muziek of andere talen omdat wordt gesteld dat je niet vroeg genoeg kunt beginnen met stimuleren. De educatieve claims die speelgoedfabrikanten maken zijn stellig, maar je kunt je serieus afvragen hoe waar het allemaal is. 'De term educatief is op geen enkele manier beschermd,' vertelde een medewerker van een Nederlandse gamesproducent, die 'educatieve' games maakt op dvd. 'We kunnen in principe overal het predikaat educatief op plakken.' En waarschijnlijk de prijs daarmee verdubbelen.

Hoe leuk is speelgoed eigenlijk?

Maar we kopen het wel, we kopen die roze plastic minilaptop of die mobiel met lampjes en geluidjes. We kopen speelgoed dat steeds meer elektronisch is, dat geluiden kan maken, dat van alles en nog wat doet. En hoe vaak komt het wel niet voor dat het kind zo'n cadeautje krijgt, vijf minuten op alle knopjes drukt, het aan de kant gooit en daarna met de doos gaat spelen? 'Ik trapte er zelf ook in,' zei een jonge vrouw die net tante was geworden van een klein meisje en graag haar populairste tante zou worden. 'Ik sta altijd maar in die speelgoedwinkel, totaal overrompeld door alles wat er te koop is en ik heb echt geen idee wat ze wel of niet leuk zou vinden. Dan kies ik meestal maar voor iets met het meeste geluid, of wat het meest roze is, of iets wat gekoppeld is aan een merk, Disney of zo. Laatst vertelde mijn zus dat mijn nichtje graag in plaatjesboeken bladert en dat dieren favoriet zijn. Dus kocht ik een dierenprentenboek, maar dan wel een met knopjes die het dierengeluid lieten horen van dieren in het boek. Ze vond er niets aan. Ik geloof dat ze één keer op alle knopjes heeft gedrukt, en daarna speelde ze met het inpakpapier.'

Een moeder van twee kinderen, van vijf en zeven, vertelde dat ze vroeger zo ontzettend graag een praatpop wilde. Dat was een pop met een klepje achter in haar rug met een heel klein elpeetje erin. Als je dat elpeetje aandeed ging de pop praten of huilen. 'Echt geweldig!' herinnert ze zich. 'Een pop die allemaal dingen vanzelf deed, dat was geweldig. Net als een pop die kon plassen, super!' Maar ze kreeg hem niet, want de pop was een stuk duurder dan gewone poppen, en haar ouders hadden daar geen geld voor. Misschien willen we voor onze kinderen wel dat speelgoed kopen dat we zelf zo graag gehad hadden willen hebben. In een tijd waarin elektronisch speelgoed net opkwam, was dat natuurlijk ook echt iets om te willen, want het was compleet anders dan de andere dingen die je had. Het was ook duur, dus er waren altijd maar een paar kinderen van rijke ouders die wel zo'n pop hadden, of zo'n op afstand bestuurbare raceauto, en jij dus niet. Maar hoe leuk is dit speelgoed in een tijd en in huizen waar technologie en elektronisch speelgoed geen uitzondering maar regel zijn? Hoe leuk is speelgoed dat op de doos brult hoeveel het kind ervan kan leren, hoezeer het de hersenen stimuleert? Hoe leuk is trouwens speelgoed sowieso in datzelfde huis waarin het stikt van het speelgoed?

Ik speel het liefst met anderen

In een onderzoek naar games[5] waarbij de vraag was welke spelcomputer kinderen het leukst vinden, werd een ruimte ingericht met alle spelcomputers, stapels met spellen en tafels met allerlei ander speelgoed. De verwachting was dat het spelen met de spelcomputers favoriet zou zijn onder de kinderen. Wie speelt er nu met een simpele bal als je ook met een Wii kunt spelen?

En inderdaad, de kinderen gingen eerst even aan de slag met de spelcomputers, maar dat was al snel voorbij. 'In no time zaten de kinderen met het andere speelgoed te spelen. Op de vraag "waarom" gaven ze allemaal aan thuis ook al spelcomputers te hebben, dus dat was niet bijzonder leuk. Het leuke van spelen was nu juist dat je het met elkaar deed en niet in je eentje achter een spelcomputer,' aldus de onderzoeker die nog een lastig karwei had dit uit te leggen aan de gamesfabrikant. Het lijkt een no-brainer: games zijn altijd populairder dan bordspellen, digitaal gaat altijd boven analoog. Maar kinderen kiezen keer op keer weer voor analoog, voor die soorten spellen die je samen kunt doen, het liefst nog met papa en mama erbij.

'Wij zijn thuis op het moment helemaal verslaafd aan Kolonisten van Katan,' vertelde een vader. 'Met zijn vieren zijn we daar hele zondagen mee bezig, en dat terwijl we ook een PlayStation hebben gekocht voor de jongens. Daar spelen ze ook mee, maar ze zeiden letterlijk dat ze dit gezelliger vonden.' Niet alleen zijn spellen favoriet die samenspel en sociale interactie mogelijk maken en stimuleren, ook speelgoed dat de eigen fantasie aanspreekt blijft favoriet onder kinderen. En dan is het de vraag of al dat speelgoed dat al voorgekookt is onder het mom van educatief wel zo goed is. Want hoe goed is het als kinderen niet zelf het initiatief kunnen nemen, maar als dat voor ze wordt gedaan door speelgoed? En soms nog erger, door volwassenen?

Waar is mijn vrijheid gebleven?

'Ik was bij mijn vriendin die bevallen is van haar tweede kindje op kraamvisite. We kennen elkaar al sinds de universiteit, maar we waren het contact een beetje kwijtgeraakt dus ik was sinds lange tijd weer eens op bezoek. Haar man was er ook, en hij was aan het spelen met hun zoontje van drie. Nou ja, spelen... Het zoontje wilde met blokken spelen en stapelde ze op elkaar. Papa haalde steeds weer blokken weg en zette ze op een andere plek, met opmerkingen als 'nee, die hoort niet daar' of 'nee, je moet deze hier neerzetten, anders valt de toren'. Ik kreeg heel sterk het gevoel dat niet hun zoontje, maar papa aan het spelen was en het kleintje mocht meedoen, maar niets zelf bepalen,' aldus een dertigjarige vrouw.

Het zelf kunnen bepalen wat je doet, hoe je speelt, wat de regels zijn, met je fantasie alles verzinnen en uitvoeren en kijken hoe het is... Het lijkt op hoe wij als kinderen vroeger konden spelen, maar wat we onze kinderen niet meer geven. 'Bij lezingen aan volwassenen vraag ik ze altijd te vertellen wat hun fijnste speelherinnering is,' vertelt de oud-directeur van Stichting Jantje Beton. 'Dan komen de herinneringen boven, de ogen gaan glinsteren, en dan komen de verhalen. Verhalen over braakliggende terreinen, over boomhutten, over slootjespringen, over in bomen klimmen, over kattenkwaad als belletje trekken, over van alles en nog wat. En nooit hoor ik een volwassene zeggen: Mijn fijnste speelbeleving ooit was op de wipkip.' Volgens Jantje Beton hebben we kinderen hun ongeremde eigen spel afgenomen door beveiligde speelterreinen te maken met speeltoestellen waar geen enkel levendig kind het langer op volhoudt dan vijf minuten. Een af en toe oppassende tante vertelt: 'Laatst logeerden voor het eerst mijn neefje en nichtje van drie en vijf bij mij. Ik ging met ze naar de speeltuin en verwachtte daar bepaalde apparaten te zien. Een schommel, een wip, een klimrek, zelfs zo'n metalen rek waar ik als kind vroeger heel acrobatisch omheen zwaaide... maar nee dus. Ja, die schommel, die was er, maar de rest niet. Een miniglijbaan en een wipkip waren er. Niet eens een zandbak, laat staan een wipwap! Mijn beste momenten heb ik beleefd met gevaarlijke stunts uithalen op de wip. Dat zal wel de reden zijn waarom ze er niet meer zijn.'

Ik wil kind kunnen zijn

En was er nu maar een tegenwicht voor de speeltuin, namelijk die o zo populaire braakliggende terreinen bijvoorbeeld, of die sloten, die weilanden, bossen waar je je eindeloos in kon vermaken. Maar ook die tijd is voorbij. 'Ik weet nog van vroeger,' vertelde een veertigjarige moeder met een dochter van acht jaar. 'Ik woonde op het platteland en op vrije dagen ging ik 's ochtends naar buiten en moest 's avonds voor het donker thuis zijn. Niemand lette verder op ons, niemand belde ons want mobieltjes waren er nog niet, niemand keek wat we deden zolang we geen overlast veroorzaakten of dingen sloopten. Hutten bouwen, polsstokspringen, boomklimmen, verstoppertje spelen op de hooizolder, van die dingen, geweldig. Wij wonen nu in de stad, en die ruimte is er niet. Bovendien stikt het van de engerds op straat, dus speelt mijn dochter in de speeltuin en zit ik erbij.' Spelen moet risicovrij, voorgekookt, educatief, onder controle. Spelen is daarmee een taak geworden, niet die vrije onbezorgde ongecontroleerde tijd waarin alles kon en waarin elke fantasie mogelijk was die wij ons nog kunnen herinneren. We hebben kinderen hun kindertijd afgenomen, een tijd waarin je gewoon lekker jezelf kunt zijn, kunt spelen omdat het leuk is, kunt doen wat je zelf wilt zonder bemoeienis van volwassenen en je je zelfs kunt vervelen. Vervelen, je weet wel: van alles kunnen, van alles moeten, nergens zin in hebben en dan dus niks.

Nu is het vanuit het licht van het beste willen voor je kind wel begrijpelijk. Niemand wil dat zijn kind achterblijft op school omdat het niet voldoende stimulans heeft gehad, niemand gunt zijn kind een gebroken arm en dan hebben we het nog niet eens over de onuitspreekbare horror van de Dutroux's van deze wereld. De bron is liefde, maar in dit geval een vorm van liefde waar we onze kinderen niet echt een dienst mee bewijzen.

Ik vind een wipkip echt het stomste wat er is

Het klopt dat spelen belangrijk is voor de ontwikkeling van het kind. Belangrijke zaken worden geleerd puur door het spel. Maar het meest wordt geleerd van vrij spel waarbij een kind zelf, in eigen tempo, kan bepalen wat er gebeurt. Er is geen rijkere omgeving dan het echte leven, vanaf het moment dat een baby geboren wordt. Zoals studies bij ratten[6] hebben aangetoond vertoonden de hersenen van ratten die in een omgeving opgroeiden met veel stimuli, blokken en obstakels, een grotere groei van neurale paden dan die van ratten die in een kale omgeving werden grootgebracht. Maar geen van deze groeipatronen was te vergelijken met de hersenen van ratten die in de vrije natuur leefden. Deze omgeving biedt de rijkste stimulans van allemaal. Ook studies met kinderen toonden aan dat een groep kinderen die vooral speelden in een natuurlijke omgeving betere motorische ontwikkeling hadden, algeheel gezonder waren en minder vatbaar voor ziektes[7].

Dit wil nu niet zeggen dat we ons zorgen moeten gaan maken over al het speelgoed dat we hebben gekocht, of dat we moeten denken dat we de hersenen van onze kinderen hebben verprutst door ze in de speeltuin te laten spelen en niet de hele dag buiten. Het zou niet slecht zijn meer speelgoed te kopen dat de fantasie zou stimuleren en het teveel aan elektronisch speelgoed bij overprikkelde kinderen weg te halen. Ook het stimuleren van meer buiten spelen is zeker niet verkeerd. Maar we moeten ook weer leren kijken naar wat onze kinderen het leukst vinden. Wat zij namelijk het leukst vinden om te doen (buiten spelen) en het leukste speelgoed vinden (een bal op dit moment), dan zijn dat precies die dingen waar ze in hun ontwikkeling het meest aan hebben. Daar kan geen technisch lego of wipkip tegenop.

Ik vind uitzoeken veel leuker dan krijgen (en ik hoef dus niet alles van mijn verlanglijstje)

In de discussie die wordt gevoerd over het verwennen van kinderen wordt zelden aan kinderen gevraagd wat zij nu er nu eigenlijk van vinden. We gaan ervan uit dat enorme bergen snoep, speelgoed en doorlopende aandacht van volwassenen precies is wat een kinderhart het meest begeert. En waarom ook niet? Luilekkerland is toch daar waar je wilt zijn als zevenjarige? Droomt niet ieder kind van het leegkopen van een speelgoedwinkel? Van zoveel snoep tot je maag protesteert en je moet overgeven? Hoe meer hoe beter, toch? Het kan toch nooit genoeg zijn? Ongebreidelde heb- en vraatzucht is toch wat kinderen definieert? Geef het kind een vinger en het pakt je hele hand, toch? Want nee, een kinderhand is immers niet snel gevuld.

In kranten, tijdschriften en internetfora is de uitgesproken mening van velen precies dit: een kind is het meest hebzuchtige wezen op aarde en heeft het handig voor elkaar met ouders die dat gedrag willens en wetens ondersteunen. Een kind manipuleert zijn ouders en omgeving, en dat lukt, omdat ouders vanuit een teveel aan liefde en onzekerheid al die spullen en aandacht geven. Kinderen worden verwend met aandacht en spullen en daarmee, is het gevoel, creëer je narcistische persoonlijkheden die denken dat de hele wereld om hen draait, dat ze recht hebben op alles zonder daar iets voor terug te hoeven geven en die zich in het algemeen brutaal en zonder respect gedragen.

Ik hoef niet nog meer speelgoed...

Het gekke daarbij is dat niet alleen het gezichtloze 'men' dat zo voelt, ook ouders en jongeren zelf. In een onderzoek over speelgoed ondervroeg SARV International ouders over hun kinderen en hun favoriete speelgoed. Binnen een paar minuten werd het een collectieve klaagzang, niet alleen over de jeugd van tegenwoordig, maar ook over hun eigen kinderen. 'Ze willen altijd het nieuwste van het nieuwste,' zei een van de moeders. 'Ze zijn nooit eens tevreden,' zei weer een andere moeder.

Maar is dat wel zo? Kijken we wel werkelijk naar kinderen en hun gedrag rondom speelgoed, of laten we ons afleiden door andere factoren? Zien we wat we willen zien, en niet wat er is? Zo is daar bijvoorbeeld het verhaal van een meiske, we noemen haar Rianna, dat net zes is geworden. De hele dag is het een komen en gaan van visite. De hele familie en alle vrienden van haar ouders zijn er, wel dertig man. Al die mensen hebben cadeaus meegenomen, het een nog mooier ingepakt dan het ander. De hemel op aarde, zou je denken. Toch zat ze aan het eind van de middag alleen op een kleed in de tuin, zonder vriendinnetjes. Ze had twee van de gegeven cadeautjes naast zich liggen en ze speelde er met een. Na de hele dag in het middelpunt van aandacht te hebben gestaan, was het genoeg geweest. Ze trok zich terug, met een speeltje, en alles wat erbij kwam zag ze niet. De mensen die later kwamen en haar feliciteerden hoorde ze niet meer, de cadeautjes die later werden gegeven werden nog wel opengemaakt maar opzij gelegd zonder reactie. Het was letterlijk en figuurlijk genoeg. Dit lijkt verwend gedrag, want je behoort toch gepast blij te zijn als iemand met een cadeautje komt. Maar na zes uur lang aandacht en cadeaus kan een kind dat simpelweg niet meer opbrengen. 'Je merkt dat er op een gegeven moment een verzadiging ontstaat,' vertelt een moeder van een driejarige. 'Net alsof er een grens zit tussen "joepie, nog een cadeautje" en "pff nog meer?"' Haar dochter trekt zich op een gegeven moment terug met het speelgoed – en naar de rest taalt ze niet meer. 'We zijn erachter dat we beter maar niet te veel cadeaus kunnen geven. Beter een paar kleinigheidjes en één groot cadeau waar ze dan ook echt mee kan spelen, dan heel veel cadeaus waardoor ze door de bomen het bos niet meer ziet.' Keuzestress door overdaad, we dachten dat alleen dertigers dit kenden.

... maar wel graag gezelligheid!

Dit zijn geen geïsoleerde incidenten. In een onderzoek dat SARV International in 2006 uitvoerde naar de beleving rondom Sinterklaas onder ouders en kinderen, kwam ditzelfde aan het licht: verzadiging. Maar verrassend genoeg zijn het vooral de kinderen zelf die aangeven verzadigd te zijn, niet de ouders. 'Ik hoef niet nog meer speelgoed onder mijn bed,' aldus een meisje van acht. 'Ik heb al drie lades onder mijn bed en er past niets meer bij.' De onderzoekers stelden aan zowel ouders als kinderen deze vraag: wat zou je het liefst willen hebben: het grootste cadeau op je verlanglijstje, of een door je vader in elkaar geknutselde surprise, waar hij drie dagen mee bezig is geweest? Alle ouders dachten dat hun kinderen het grootste cadeau wilden hebben, alle kinderen gaven de voorkeur aan de surprise. Een van de conclusies uit het onderzoek was dan ook dat kinderen Sinterklaas niet zozeer een groot feest vinden vanwege de overdaad aan cadeaus, maar vooral vanwege het gezellige samenzijn. Een van de kinderen verwoordde het zo: 'Kunnen we niet van het geld dat jullie (ouders) aan Sinterklaas uitgeven met zijn allen een weekendje weg?'

Met zijn allen een weekendje weg om samen ergens te zijn en leuke dingen te doen, in plaats van cadeau na cadeau na cadeau, in een leven waarin cadeaus toch al veel worden gegeven. Want zoals een andere moeder het zei: 'Dan zie ik in oktober ergens iets leuks liggen voor de kinderen en dan koop ik dat met het idee het met Sinterklaas te geven. Als ik dan thuiskom besluit ik maar om het gewoon te geven, want tja, Sinterklaas is nog zo ver weg. Tegen die tijd vind ik wel weer iets anders leuks!'

Spullen zijn niet bijzonder, daar stikt het van, er zijn altijd spullen en er komen ook altijd spullen bij. Alsof je bent geboren in die speelgoedwinkel en ja, dan is een nieuwe voorraad niet meer heel bijzonder. En dat geldt niet alleen voor speelgoed maar ook voor gadgets en technische apparaten. 'Wij hebben thuis zo'n vijftien mobiele telefoons en vier televisies,' vertelde een jongere van veertien in een landelijk onderzoek van het ministerie van VROM over wonen en woonwensen van de jeugd (Scholieren aan Zet) van Keesie en SARV International. Geen van de gesproken jongeren zag veel gadgets of apparaten in huis als iets om naar te streven. Een gezellige bank of een grote tuin, waar je met anderen kunt zijn of lekker kunt chillen, is vele malen leuker dan bijvoorbeeld nog meer tv's.

Maakt het al niet uit wat je precies krijgt, het maakt wel degelijk uit van wie je het krijgt en *waarom* je het krijgt. In datzelfde onderzoek over speelgoed stelden de onderzoekers de vraag: wat krijg je liever: een mooi cadeau van je moeder of datzelfde cadeau van je oma? Allemaal antwoordden de kinderen dat ze liefst een cadeautje van oma hadden, want alles wat je van oma kreeg is leuk! Niet dat het niet leuk is dat je iets van mama krijgt, maar 'meestal moet ik dan iets als zij iets geeft,' of 'heeft ze er een bedoeling bij'. Cadeautjes van mama hebben nogal eens de neiging ergens om gegeven te worden, en dat voelen de kinderen. Ze voelen de intentie die erachter ligt, het gevoel waarmee het gegeven is. En oma geeft altijd cadeautjes om de juiste redenen: omdat ze gewoon een leuk cadeautje wilde geven, *no strings attached*, zonder voorwaarden.

Zelf bedenken is leuk!

In dat opzicht hebben we nogal eens de neiging om wat wij zelf leuk, gaaf of cool hadden gevonden als kind (ook al noemden we het anders) te projecteren op onze kinderen. Maar wat de verlanglijstjes voor Sinterklaas domineerde in 1978 is niet hetzelfde als wat er in 2010 op staat, populair speelgoed verandert met de jaren. Wilde ieder kind in de jaren tachtig misschien wel een walkman, nu wil ieder kind misschien wel een tattoomachine voor het zelf maken van tatoeages of een racebaan, of inderdaad die PlayStation3. Wat op een verlanglijstje wordt gezet is immers het verwoorden van een verlangen – iets wat je leuk *zou* lijken of wat je graag *zou* willen hebben. Dat heeft niets te maken met wat daadwerkelijk leuk *is*, althans in de ogen van onze kinderen. Want wat echt leuk is, zijn andere dingen. Buiten spelen met vriendjes bijvoorbeeld. Dit tijdverdrijf staat nog altijd nummer één op de lijst van favoriete activiteiten van onze kinderen. En dan vooral samen met anderen. Samen een weekendje weg gaan, samen spelletjes doen (of dat nu met een Nintendo DS is of met een racebaan), samen van alles doen – met vriendjes maar ook met ons ouders. Dat in gezamenlijkheid van alles willen ondernemen houdt niet op bij het intreden van de puberteit of adolescentie, ook oudere kinderen en jongeren willen veel samen doen, vinden samen gezellig en richten hun leven in op activiteiten (of simpelweg kletsen) met anderen en met elkaar.

In het onderzoek naar speelgoed vroegen de onderzoekers van SARV aan kinderen van acht tot twaalf jaar wat hun favoriete speelgoed en wat hun favoriete spel is, en het antwoord was voor zowel jongens als meisjes hetzelfde: een voetbal en voetballen. Nu hadden ze het niet over voetballen in de zin van het echte spel voetbal met de twee doelen, maar alles wat je kunt doen en kunt verzinnen met een bal: verstopvoetbal, een voetbal overgooien met iemand in het midden en wat er dan ook maar op dat moment in de koppies van kinderen opkomt. Ze verzinnen daarbij hun eigen spelregels en zowel jongens als meisjes kunnen meedoen. 'Als meisjes meedoen, doen we natuurlijk wat minder hard,' zei een jongetje van negen, 'dan gaan we ze niet tackelen of zo.'

… en dat is niet hetzelfde als valsspelen

De spelregels worden ter plekke verzonnen, maar kunnen ook zomaar veranderen, ook tijdens het spel. Dat is voor een volwassene soms lastig te accepteren. 'Ik speel weleens een spelletje met mijn oma, maar dan moet het altijd volgens dezelfde regels. Dat is heel saai, maar als ik iets probeer te veranderen wordt mijn oma boos. Dan vindt ze dat ik wil valsspelen, maar dat wil ik helemaal niet. Ik wil gewoon eens wat anders proberen,' zegt een meisje van twaalf. Haar broertje van tien beaamt dit, ook hij snapt niet waarom spelregels vast moeten staan. Een spel is toch een spel? En een deel van de lol is kijken wat voor een effect regels hebben en wat er gebeurt als je regel A vervangt door regel B. Maakt niet uit, want als het niet werkt, dan verzin je gewoon iets nieuws dat wel werkt. 'Mijn kinderen wilden een spelletje Monopoly doen terwijl we over een halfuur zouden vertrekken,' vertelt een vader van drie kinderen. 'Ik dacht, dat kan niet. Ik kon mij nog herinneren van Monopoly dat je er uren en uren mee bezig was. Zij niet, binnen een halfuur waren ze klaar. Ze hadden de spelregels zo aangepast dat ze een korte en heel snelle versie hadden gemaakt. Ze waren het alle drie eens met de nieuwe regels, dus de winnaar was dan ook de terechte winnaar van het spel. In een halfuur!'

Het is te beperkt en zelfs erg denigrerend om te denken dat het kinderen en jongeren alleen maar om de materie en de spullen gaat. Spelen, met elkaar, met regels die je zelf verzint en die elke vijf minuten kunnen veranderen, daar zijn onze kinderen mee bezig. Spelen is daarbij een sociale gebeurtenis, waarin in het klein al wordt geoefend met veranderende regels, waarbij flexibiliteit, aanpassingsvermogen en onderhandelvaardigheden van de deelnemers wordt verwacht. Dat daarbij ruzies ontstaan is logisch, want leren omgaan met veranderingen, het niet je zin krijgen en simpelweg verliezen, is altijd zwaar – maar ze leren het wel. Spelen stimuleert daarnaast de fantasie, en fantasie is essentieel in het creatief kunnen denken. Zelf regels verzinnen, zelf spellen verzinnen, zijn creatieve activiteiten.

Sinterklaas, spannend!

En een gevoel van mysterie is daarbij onontbeerlijk. Mysterie is dat gevoel dat de wereld een spannende plek is, waar van alles kan gebeuren, waar monsters onder het bed liggen, waar de achtertuin een complete wereld is, waar personen zoals Sinterklaas volstrekt logisch en normaal zijn, maar o zo spannend. Wie kan zich nog herinneren hoe het ging met Sinterklaas? Dat je je schoen wilde zetten en dat dat wel mocht, maar dat er regelmatig niets in lag? Sinterklaas was die grote, beetje enge man, die besliste over stout en lief, over de roe of de cadeautjes, over de zakjes zout of de pepernoten. Kan iemand zich nog herinneren dat Sinterklaas helemaal niet alleen maar vriendelijk en lief was, maar ook gewoon heel streng? Net zoals Ome Willem eigenlijk een heel nare man was? En zoals de sprookjes van Grimm in ongecensureerde vorm gruwelijke verhalen waren?

Sinterklaas was geen cadeautjesmachine die plichtmatig je verlanglijstje aftikte en braaf alles in je schoen legde wat jij wilde. Een verlanglijstje was, precies zoals het woord het zegt, een lijstje met een beschreven verlangen... en je moest maar afwachten of dat verlangen werd ingewilligd. Daarbij kon je teleurgesteld worden, maar ja, dat was Sinterklaas. Híj bepaalde de regels, niet jij. En dat gevoel van mysterie halen we weg door verlangen te behandelen als een boodschappenlijstje, iets wat altijd ingewilligd moet worden. Verlangen mag ook best weleens verlangen blijven. Want ook al wordt die Bart Smit-gids nog zo aan alle kanten aangestreept, ook dat is onderdeel van het spel, geen bevel aan de ouderlijke portemonnee. Wat we zien is de vraag om spullen, maar wat we soms niet horen is nu juist de roep om samenzijn, om een vorm van aandacht die niets met materie te maken heeft, maar gewoon met tijd en aanwezigheid.

Begrijp me niet verkeerd, ik vind speelgoed geweldig, maar het zijn de winkels waar het verkocht wordt waar ik zo'n hekel aan heb. Muren vol met gestapelde plastic rotzooi, nooit iets bijzonders, alleen heel veel van hetzelfde. Ik heb zo'n natuurlijke weerstand tegen deze winkels dat ik voor Sinterklaas de verplichte gang naar de hel zo lang mogelijk uitstel, en van uitstel kwam afstel. In plaats van naar de speelgoedhel ging ik naar de kunstenaarshemel. Harolds Grafiek, waar het overigens verschrikkelijk is om te werken, maar dus wel fantastisch om te winkelen. Een kast vol met potloden, en dan niet de gekleurde want dat zijn twee aparte kasten, nee een hele kast met alleen maar de gewone grijze H-HB-B-potloden en dan ook nog in allemaal verschillende gradaties, mmm. Het budget dat Geke en ik hadden afgesproken voor deze Sinterklaas heb ik in z'n geheel besteed aan kunstenaarsmaterialen. Van alles steeds drie, voor alle kinderen hetzelfde. Drie 2h-potloden, drie hb-potloden, drie 2b-potloden en drie 6b-potloden. Allemaal verschillende papiertjes, schetsblokken, voorbeeldboekjes, aquareldoosjes, penselen, kwasten, heel grote felsen met schoolverf, schildersezeltjes, paletjes en één ledenmaatpopje.

Thuisgekomen heb ik alles stuk voor stuk apart ingepakt en een brief van Sinterklaas geschreven.

Lieve Sien, lieve Just en lieve Pam,

Sint heeft jullie verlanglijstje gekregen en hééél goed doorgelezen en toen dacht Sint opeens; maar weet je wat er helemaal niet op staat? Dingen om te tekenen en verven terwijl Sint weet dat jullie dat alle drie zo goed kunnen.

Dus *heeft Sint aan de kunstenaars-Piet gevraagd om allemaal dingen te kopen voor jullie.*
Hier is de brief van de kunstenaars-Piet speciaal voor jullie.

In de brief liet ik Piet uitleggen wat alles was, ik had alle pakjes genummerd en ze moesten er van alles mee doen.

Pakje 6: dit is een schetsboekje speciaal voor potloodschetsjes.
Pakje 7: dit is een potlood. Niet zomaar een potlood, maar een hééél hard potlood voor heel dunne harde lijntjes. Teken er maar eens een rondje mee in jullie nieuwe schetsboekje.
Pakje 8: dit is alweer geen gewoon potlood. Teken er ook maar eens een rondje mee naast je vorige rondje… Dit is een zacht potlood, leuk hé...

Ademloos en vol aandacht maakten ze alle pakjes open en deden ze alle dingetjes.

In plaats van dat waar ik bang voor was, ik had immers NIETS van het verlanglijstje gekocht, vonden ze het geweldig. Nog steeds, nu acht jaar later, komt nog regelmatig: 'O, weet je nog...'
Ook jaren later kwam uit een groot Sinterklaasonderzoek dat ik had laten doen naar voren dat mijn kinderen heel gewone kinderen zijn en dat voor ALLE kinderen het allerleukste cadeautje is dat cadeautje wat niet op het verlanglijstje stond maar wat Sint speciaal voor hen heeft uitgezocht. Ha! Mijn kinderen wisten dat al en ik ook; is mijn weerstand tegen de Nederlandse speelgoedwinkels (ben ik wel een gewone ouder?) toch nog ergens goed voor geweest.

Jeroen

'Too much love will kill you'
(Queen)

We houden dus van onze kinderen, zoveel is wel duidelijk. Onze liefde maakt dat we ze goed verzorgen, beschermen tegen al het kwade, troosten en pleisters plakken, cadeautjes geven. De keerzijde van de medaille die liefde heet is angst. Liefde en angst gaan vaak hand in hand. 'Vanaf het moment dat ik wist dat ik zwanger was, werd ik bang. Bang om de kleine te verliezen, bang dat er van alles en nog wat zou misgaan, bang dat ik geen goede moeder zou worden, bang dat ik allerlei fouten zou maken, bang dat ik zou falen, bang dat anderen mijn kind niet leuk zouden vinden, bang dat mijn kind gewoon niet leuk zou zijn... De angst zit overal onder, die raak je nooit kwijt. De kunst is om gewoon door te gaan met ademhalen, doorleven zo goed als je kunt en het je niet te laten lamleggen,' vertelde een moeder van een kind van drie.

Er is ook zoiets als te veel liefde, of misschien is het wel niet een teveel aan liefde, maar angst. Te veel liefde kan zich uiten in overbezorgdheid, *hyperparenting* en medicalisering. En dan keren we weer terug bij de onzekerheid van ouders. We hebben verschillende keuzes om om te gaan met deze veranderende werkelijkheid en sommige keuzes zijn gezonder dan andere. Zo is de laatste jaren de term *helicopter parenting* ontstaan: ouders die als een helikopter boven het hoofd van hun kinderen hangen en direct ingrijpen bij het minste of geringste alarm van het kind. *Helicopter parents* vinden het welzijn maar ook het succes van hun kind erg belangrijk, en als het kind op wat voor manier dan ook in de problemen raakt, lost de ouder het op. Paul Redmond van de University of Liverpool deed een onderzoek naar dit fenomeen. '*Some companies told me when they made offers to graduates, parents phoned in to negotiate starter salaries,*' vertelt hij in een interview op de BBC. Bedrijven klagen over ouders die onderhandelen voor hun kinderen en zijn niet genegen die kinderen dan nog aan te nemen, zelfstandigheid is toch wel een eigenschap die je geacht wordt te hebben als je de arbeidsmarkt betreedt. Je zou makkelijk kunnen denken dat dit soort zaken alleen in Groot-Brittannië of in de Verenigde Staten voorkomt, maar ook hier in Nederland gebeurt dit. 'Ik ben zo'n ouder en ik ben er trots op, vertelt een vader tijdens een presentatie. 'Mijn zoon liep stage bij een winkel en ondanks dat hem was beloofd dat hij in de winkel zelf zou werken, werd hij in een achterafkamertje achter een computer gezet. Na drie weken zijn gechagrijn aangehoord te hebben, heb ik een andere stageplek voor hem geregeld.' Hij is een van de weinigen die dit zo openlijk toegeeft, de algemene teneur is dat ouders in de ogen van anderen te veel op de nek van hun kinderen zitten, ze te veel verwennen en het ze te gemakkelijk maken.

D'r bovenop!

Met name in de Verenigde Staten heeft dit een enorme vlucht genomen. Als je daar als ouder niet boven op je kinderen zit, ze niet doorlopend helpt, aanmoedigt, van school naar pianoles, naar lessen Mandarijn, naar sport, naar van alles haalt en brengt, doe je het niet goed als moeder. In *Confessions of a Slacker Mom* pleit Muffie Mead-Ferro voor relaxed moederschap, waarbij de nadruk ligt op het leren kennen van deze ingewikkelde, moeilijke en soms pijnlijke wereld en daarmee om te gaan, in plaats van kinderen te isoleren, te verwennen en te beschermen tegen alle vormen van pijn. Amerikaanse moeders lijden in toenemende mate aan *hyperparenting*, een vorm van ouderschap waarbij de ouders alle onderdelen van het leven van hun kind inrichten, vormen, organiseren, vanuit het idee dat je hiermee je kind een dienst bewijst. 'We willen allemaal dat onze kinderen het goed gaan doen op school en wij helpen hen daar zo goed als mogelijk mee.' Het idee dat kinderen zo jong mogelijk zo veel mogelijk moeten leren, omdat hun hersenen er dan het meest gevoelig voor zijn, heeft algemeen postgevat, zodat bijna alle Amerikaanse kinderen voorschoolse educatie krijgen. Na school is er dan muziek en sport, twee activiteiten waarvan uit hersenonderzoek blijkt dat jongeren daar tijdens de adolescentie het meest in kunnen leren en in die periode daar ook het beste in kunnen worden. Het omgekeerde is dan ook het geval, als je als ouder geen gebruikmaakt van deze zogenaamde kritische periode, ben je dus te laat en loopt je puber achter op de rest. Een ouder die dit laat gebeuren is geen goede ouder, in de ogen van veel Amerikanen. Nu kun je dit afdoen als typisch Amerikaans en nuchter stellen dat het in Holland wel meevalt, maar in mindere mate of verwaterde vorm zie je delen hiervan in onze maatschappij terug.

Onbezorgde kindertijd?

Voorschoolse educatie vanaf drie jaar, huiswerk op de basisschool, sport-, dans- en muzieklessen op de middelbare school – de tijd die onze kinderen hebben wordt hoe langer hoe meer gestructureerd. Kinderen brengen steeds meer tijd door in een georganiseerde structuur, een structuur die wij voor ze maken.

Rondrennen, bomen klimmen, je vervelen op regenachtige zondagmiddagen, rondhangen met vriendjes... Als we terugdenken aan onze eigen kindertijd dan realiseren we ons vaak dat die anders was. Er was dan wel de kleuterschool, maar er waren zeker geen agenda's en geen verplichte lessen vanaf je derde jaar. Ook op de basisschool was je met name op school bezig met leren, zodra school uit was kon je je eigen dingen doen. Huiswerk was iets wat pas op de middelbare school aan de orde kwam. Amerikaanse kinderen worden vanaf hun geboorte voorbereid, volgestopt, klaargestoomd voor het volwassen leven – en gewoon je een middagje vervelen is er niet meer bij. En bij sommige van onze kinderen gebeurt hetzelfde.

3

Ik wil niet zeuren
(ook al doet reclame nog zo zijn best)

Terwijl het o zo moeilijk is om te leren delen, leert de maatschappij waarin onze kinderen opgroeien dat het wel oké is om zo veel mogelijk te willen hebben. Onze maatschappij is steeds welvarender geworden, beide ouders werken en ondanks de economische crisis is het in veel gezinnen nog heel goed toeven op materieel vlak. We hebben veel, kopen veel, gaan vaak op vakantie, geven veel en dure cadeaus. Wie spaart er nog echt langdurig voor een nieuwe wasmachine? Wie koopt er nog contant een nieuwe auto?

Wij leven in een van de rijkste landen ter wereld. Sinds de Tweede Wereldoorlog is de welvaart in alle westerse landen toegenomen. Onze grootouders hebben na de oorlog de verzorgingsstaat ontwikkeld en uitgebouwd, waardoor de echt schrijnende armoede niet meer bestaat. Bij ons hoeft echt niemand ooit honger te lijden, kan iedereen ergens wonen. Zelfs de crises, zoals die van de jaren tachtig, hebben hier niets aan veranderd. Een afname van economische groei wordt al snel een crisis genoemd, maar het armoedepeil van voor de Tweede Wereldoorlog is niet meer gehaald. Het ging zo lang zo goed met ons, dat we gedurende lange tijd vol vertrouwen naar de toekomst keken. We werden hoe langer hoe minder zuinig, we gingen beleggen, we kochten huizen met beleggingshypotheken, meubilair op afbetaling en waren creditcards ooit iets voor die rare lui daar in Amerika, inmiddels heeft bijna iedereen er een. We gingen steeds langer en vaker op vakantie, en ook al is kamperen in Frankrijk nog steeds favoriet, we gingen ook verder weg. Was wintersport eerst nog een dure hobby voor rijke mensen, inmiddels kunnen we allemaal gaan skiën. En dan zie je maar weer hoe gemakkelijk en snel de wereld kan veranderen, hoe iets wat er zo stabiel uitzag (voor de leek althans) als de financiële wereld zo kan instorten.

Toch zijn we nog steeds rijker dan ooit met zijn allen, crisis of geen crisis. Onze kinderen profiteren mee van onze welvaart. Ze krijgen mooie spullen, hebben eigen kamers, ingericht naar hun eigen wensen. Ze dragen dure merkkleding (want die Adidas-gympjes zijn wel 100 euro maar o, zo schattig), ze krijgen cadeaus op hun verjaardag, met Sinterklaas en Kerst maar ook de rest van het jaar. Nintendo DS, mobiele telefoons, iPods, Nintendo Wii, PlayStation 3 en eigen tv's.

Onze kinderen groeien op in huizen met heel veel materiële welvaart – al zullen zij dat niet zo ervaren, want hun wereld is nu eenmaal zo. Het ging goed en steeds beter, waardoor ze een groter vertrouwen in de wereld hebben dan hun ouders, die zich nog de jaren tachtig van de vorige eeuw kunnen herinneren. Een ander gevolg van jongeren die gewend zijn aan zo veel materiële welvaart, is dat ze bijzonder kritisch zijn geworden. Er is zo veel keuze en ze zijn gewend aan zo'n hoge kwaliteit, dat producten goed en functioneel moeten zijn.

Mijn leven zit barstensvol reclame

Nog een effect van de toegenomen welvaart is de vercommercialisering van onze leefwereld. De prijs voor economische groei is dat steeds meer bedrijven aandacht willen van de consument. Aandacht op steeds inventievere manieren en niet meer alleen op plekken die we daarvoor hebben ingeruimd.

Converse All Stars in I *Robot* uit 2004, Nike, Ben & Jerry's, Microsoft en Nokia in de film *The Island* van Michael Bay uit 2005, zelden waren merken in films zo duidelijk aanwezig als in deze. In I *Robot* pakt Will Smith een paar Converse-sneakers en houdt ze ook echt even voor de camera. Hij zegt nog net niet 'hier even een bericht van onze sponsors, draag deze sneakers', maar het doel is duidelijk. Het is niet nieuw, het stikt in films van reclame of *product placement*, maar in deze films is het wel heel erg opvallend, bijna op het brutale af.

Commercie is onderdeel geworden van ons dagelijks leven en vaak valt het niet eens meer op. Zeker niet omdat we er zelf in opgegroeid zijn. Stukje bij beetje sloop commercie ons leven in, soms ongemerkt, soms met strijd (waarbij commercie het altijd won). Hoeveel protest was er niet tegen de komst van de commerciële zenders, wat een heftige discussies hebben we niet met zijn allen gevoerd over reclame midden in tv-programma's, reclame op zondag, gesponsorde programma's, noem maar op. En zo hebben we *schoolboards* (reclameborden) op scholen, door bedrijven gesponsorde educatieve lespakketten, patiëntenverenigingen die worden gesponsord door de farmaceutische industrie, educatief speelgoed dat wordt bedacht door de speelgoedindustrie en babyvoedsel gemaakt door de voedselindustrie. Tijdschriften draaien op advertenties, commerciële tv ook, wetenschappelijk onderzoek wordt opgezet en gefinancierd door het bedrijfsleven.

Reclame altijd en overal

Het aantal reclameboodschappen dat per dag op ons afkomt is niet meer te tellen en loopt in de duizenden, in de Verenigde Staten is het een veelvoud daarvan. Elk nieuw communicatiemiddel opent mogelijkheden voor bedrijven om ons te kunnen bereiken, dus nu tv en radio grotendeels hun monopoliepositie in het trekken van onze aandacht zijn kwijtgeraakt, worden andere kanalen des te interessanter. Van banners op internet, van spam e-mails (van viagra tot de beroemde brieven uit Nigeria waarin een advocaat die niet kan spellen vertelt dat je een erfenis hebt gewonnen, te verkrijgen als je eerst even de juridische kosten overmaakt), van mensen uit je sociale netwerk die op hun Hyves-pagina spullen of ideeën verkopen, van dames die je zomaar gaan volgen op Twitter en bij 'check berichten' foto's laten zien die niets aan de verbeelding overlaten. Productreclame in bestaande games of bedrijven die nieuwe games maken rondom nieuwe producten. Nieuwe middelen maken nieuwe vormen van reclame, de ene vorm nog inventiever dan de andere.

Maar je ziet ook steeds meer de schaamteloze vermenging van inhoud en reclame, waarbij het kwalijkst die gevallen zijn waarbij een expert een product aanprijst in een advies. Die zogenaamde tandarts die dat ene tandpastamerk aanprijst gelooft inmiddels helemaal niemand meer, maar het wordt kwalijker als een kindericoon als Peter Jan Rens Haribo verkoopt. Of als een patiëntenvereniging als Balans banden onderhoudt met de producent van onder andere Ritalin, het anti-ADHD-medicijn. Dit is ronduit gevaarlijk, omdat je van goeden huize moet komen om de reclame te scheiden van de werkelijkheid.

Ik ben een doelgroep geworden

Kinderen en jongeren van nu groeien op in een wereld die al zo is, die al deze boodschappen al op hen afvuurt vanaf het moment dat ze tv kunnen kijken, vanaf het moment dat hun ouders Olvarit kopen en Pampers en ze dekbedden krijgen van *Cars* en *Bob de Bouwer*. En de logische aanname is dat kinderen opgroeien met die merken, dat merkspeelgoed, en dat ook vooral zelf willen. Kinderen staan open voor alle reclameboodschappen als je die maar op de goede manier aanpast, aldus het algemene gevoel bij bedrijven gericht op kinderen en jongeren. Strategieën zijn bijvoorbeeld het inzetten van 'pester power', of zeurterreur. Zorg dat je iets onweerstaanbaar maakt in de ogen van kinderen en het zeuren van de kinderen aan hun ouders doet dan wel de rest. Degenen die deze strategie volgen gaan er, vaak terecht, vanuit dat ouders het hun kinderen graag naar de zin maken en een hekel hebben aan gezeur, zeker als het heel gênant in een winkel gebeurt. Het vermengen van producten met bekende en door kinderen geliefde film- of spelfiguren is ook zo'n strategie. Iedere ouder die weleens een Cars-dekbed heeft gekocht voor de kleine jongen of een lunchbox met Nemo erop, weet waar we het over hebben. En tja, waarom ook niet, het is vrij onschuldig zou je zeggen. De kinderen vinden deze spullen nu eenmaal leuk, zeker als de bijbehorende film een enorm succes is.

Finding Nemo, Harry Potter, het zijn gigantische hits met winkels vol merchandise. Je kunt er als ouder niet omheen en als kind al helemaal niet. En zolang ouders het leuk vinden om te geven en de kinderen echt heel blij zijn met hun nieuwe Princess-rugtas en Bob de Bouwer-T-shirtje, maakt dat eigenlijk ook niet zo heel veel uit. Ouders zijn hier de hoeders van de portemonnee, niet de kinderen.

Toch moet je niet onderschatten hoe ver deze industrie wil gaan om je als ouder deze portemonnee te laten trekken voor je kleintjes. Er is enorm veel geld te verdienen aan kinderen (aan henzelf of via hun ouders) en aan jongeren. Kinderen, zeker totdat ze zes jaar oud zijn, zijn een makkelijk slachtoffer van zeurterreur, omdat ze geen onderscheid kunnen maken tussen een tekenfilm van Bob de Bouwer en een reclamefilmpje waarin Bob de Bouwer een rol speelt. Voor hen is dat gewoon een en hetzelfde: *Bob de Bouwer*, en dat is geweldig. De roep om dat dekbed is dus geen indicatie dat kinderen zo ontzettend merkgevoelig zijn, zoals de industrie ons

heel graag wil doen geloven, maar simpelweg dat kinderen ergens
in willen slapen waar hun favoriete fantasiefiguur van dat moment
op figureert. Kinderseries, Disney-films, alle soorten verhalen,
voorgelezen of in filmvorm, werken in op de fantasiewereld van
kinderen, en het hebben van spullen daarvan hoort voor kinderen
bij het uitbouwen en spelen met die fantasie. In het geval van
Bob de Bouwer en tractors en autootjes past dat ook heel goed
bij elkaar – een kind kan daarmee via Bob de Bouwer een gehele
wereld bouwen, waarin alle figuren een rol spelen, maar waarin hij
of zij ook zijn eigen fantasie kwijt kan. In dit geval is er een directe
link tussen de tv-wereld en de echte wereld in de vorm van het
speelgoed. Maar je kunt ook overdrijven, Bob de Bouwer-tandpasta
gaat dan wel weer erg ver.

Lieg niet tegen me!

Er komt echter een moment dat ook kinderen reclame van
werkelijkheid gaan leren onderscheiden en vanaf een jaar of zeven
zie je dat gebeuren. En zo stuurde een aantal jaar geleden een
meisje van zeven een brief naar Achterwerk van de VPRO-gids, met
als onderwerp: 'Vraag geen Furby voor je verjaardag!' Voor diegenen
die het nog niet weten, een Furby is een soort elektronisch pluche
speelgoeddier (volgens Wikipedia een kruising tussen een hamster,
een kat, een vleermuis en een uil), dat je kon leren praten, dat
je moest verzorgen, dat zelf allerlei dingen kon zoals verkouden
worden in nabijheid van andere Furby's. Het was speelgoed van het
jaar 1999 en even een enorme hype. Iedereen wilde een Furby en
er zijn er dan ook in een jaar tijd 27 miljoen van verkocht. Omdat
het knuffelbeest zo razend populair was werd hij steeds duurder en
verschenen er berichten over Furby-inbraken. In de regio Tilburg
werden bijvoorbeeld in drie nachtelijke ramkraken 130 poppen
buitgemaakt. Maar al snel bleek dat een Furby wel een hoop kon,

maar dat ermee spelen enorm saai was. Wat zo veel mogelijkheden leek te hebben, bleek in de praktijk weinig voor te stellen. 'Ze zeggen op de reclame dat ie van alles kan. Nou, hij kan helemaal niks. Hij is saai en hij gaat ook nog eens snel stuk. Niet vragen op je verjaardag, het is een ontzettend stom ding.' Het meisje van de brief was woest. Waarschijnlijk had ze zich erg verheugd op de komst van de Furby en het ding was een enorme teleurstelling – een teleurstelling die zij toen uitte via een ingezonden brief, maar die kinderen en jongeren nu wereldwijd met elkaar delen via internet.

Waar zij vooral boos over was, was over de rol van de reclame. Zo'n stuk speelgoed is met veel mediageweld geïntroduceerd en ze had de reclames ervan geloofd, die reclames die eindeloze mogelijkheden toonden – mooi weergegeven en net niet helemaal zoals het in het echt was. En daar was ze erg verontwaardigd over. Ze voelde zich voorgelogen.

Nu was er inderdaad een tijd dat speelgoed in reclame zelfstandig allemaal dingen deed die het in werkelijkheid natuurlijk niet kon doen: My Little Pony's die vanzelf vliegen op regenbogen, Action Mans die de vijand aanvallen, autootjes die vanzelf rijden. Onder het mom van 'zo laten we zien wat er allemaal wel niet mogelijk is met ons speelgoed' hebben hele generaties kinderen deze boodschappen geloofd... tot nu toe. Inmiddels mag speelgoedreclame speelgoed geen dingen meer laten doen die het in werkelijkheid ook niet zou kunnen (Kinder- en Jeugdreclamecode artikel 1).

Maar Peter Jan Rens mag nog wel steeds Haribo aanprijzen, ook al zijn er klachten geweest dat hij in zijn rol als kindervriend de invloed die hij op hen zou hebben daarmee zou misbruiken.

Zelfs op school ontkom ik er niet aan

Naarmate kinderen ouder worden komen ze steeds meer in aanraking met commercie. Op school krijgen ze bijvoorbeeld gesponsorde lespakketten. Kinderen van zes tot twaalf zijn het makkelijkst te bereiken via de scholen en legio bedrijven en instellingen zoeken een weg daarnaartoe door middel van lespakketten. Een directeur van een basisschool klaagde eens dat hij per week door minstens dertig van die pakketten moet worstelen, niet wetende welke echt leuk en educatief zijn en welke een of andere vorm van sluikreclame. Zo zal een lespakket van Greenpeace over oceanen en dolfijnen of van de Eerste en Tweede Kamer over democratie weinig kopzorgen geven. De afzender bedoelt het geheid goed en de pakketten zijn handig in gebruik, zien er mooi uit, hebben een echte educatieve waarde en zijn goed in te zetten door leerkrachten. Maar wat te doen met pakketten van bijvoorbeeld Eneco over energie? Of van Schiphol over vervoer? In dit laatste lespakket kwam bijvoorbeeld een filmpje voor waarin iemand figureerde die de leerlingen vertelde: 'Er zijn mensen die zeggen dat vliegen slecht is voor het milieu en dat we daarom minder vaak met het vliegtuig zouden moeten gaan. Maar jij wil toch ook graag op vakantie? Zou je niet graag meer van de wereld willen zien? Dan zul je toch echt wel moeten vliegen.' Dit is een vorm van beïnvloeding die veel verder gaat en waarbij een producent van een bepaald product het denken van onze kinderen wil sturen. Het is vooral de taak van leerkrachten om hier alert op te zijn of het op zijn minst onderwerp van discussie te laten zijn in de klas.

Kinderen tot een jaar of twaalf zijn geneigd de wereld te geloven zoals wij hen die voorspiegelen, maar kunnen er al steeds beter over nadenken. En zeker zo van hun achtste tot hun tiende zijn ze ontzettend begaan met de maatschappij, met het lot van dieren, met het milieu, met goed en slecht, met rechtvaardigheid, met onrecht en eerlijkheid. De industrie heeft het dan over de kinderpostzegelleeftijd, de leeftijd waarop je kinderen heel makkelijk in actie kunt krijgen en je ze overal voor kunt enthousiasmeren, zeker als er een goed doel bij komt kijken zoals het redden van dolfijnen. Van uiteraard die kinderpostzegels rondbrengen, tot actievoeren, tot clubjes maken met namen als de Zeehondenredders, geld inzamelen, via internet filmpjes laten maken of tekeningen in laten sturen – van acht tot tien jaar krijg je ze o zo gemakkelijk in actie. En met dit gegeven in het achterhoofd ontwikkelt de industrie marketing- en reclamecampagnes die er nooit echt zo uitzien, maar die wel ultimo tot doel hebben geld te verdienen aan kinderen. Veel ouders maar ook scholen maken zich hierover zorgen en de continue vraag is dan ook om deze industrie aan banden te leggen. In verdediging hierop was het antwoord van de industrie een lespakket, Reclamerakkers geheten, om kinderen te leren omgaan met reclame... met daarin voldoende reclame voor de deelnemende bedrijven.

'Alsof wij zo stom zijn'

Het lijkt op vechten tegen de bierkaai. Reclame komt dus binnen, op allerlei manieren en heeft onze kinderen en ons (hun) geld op het oog. Maar onze kinderen en jongeren vechten terug. Ze zijn namelijk niet anders gewend dan dat ze worden overspoeld met deze boodschappen en zeker als ze wat ouder worden (ongeveer vanaf hun zevende), begint het tegenoffensief. Hardop en luidkeels je beklag doen over valsspelende speelgoedfabrikanten bijvoorbeeld. Of simpelweg reclame helemaal niet meer zien. Vanaf het moment dat kinderen op de middelbare school terechtkomen zie je dat al gebeuren. Omdat reclame er altijd is, zien ze dan ook helemaal niets meer. Dat levert bizarre situaties op. Zo was er een school die graag nieuwe gedragsregels wilde introduceren en had daarvoor een campagne gemaakt. Ze hadden prachtige posters gemaakt voor in de *schoolboards* (reclameborden op school), met bijbehorende *glossy* folders die aan alle leerlingen waren uitgedeeld. In een onderzoek een aantal weken later klaagden de leerlingen dat er helemaal geen gedragsregels waren op de school. Bij navraag aan de directie werd verteld dat die er nu juist wel waren, en dat die ook breeduit waren gecommuniceerd op de school. Weer terug bleven de leerlingen volhouden dat ze toch echt helemaal niets gezien hadden, totdat een eens diep nadacht en zei: 'O, wacht, dat is waar ook, een paar weken geleden hebben ze toch zo'n folder uitgedeeld of zo?' Haar medeleerlingen dachten heel hard na en konden zich vaag zoiets herinneren. Niemand had de folder gelezen, niemand de posters gezien. Het was immers reclame, in de vorm en met het uiterlijk van reclame, dus per definitie niet de moeite waard en daarmee onzichtbaar.

'Ik snap heus wel wat ze doen hoor, in deze reclame,' zegt een twaalfjarige jongen tijdens een onderzoek over de nieuwe slogan onder alcoholreclame. Al twintig jaar werd *Geniet, maar drink met mate* als waarschuwing tegen overmatig drinken onder de alcoholreclames gevoerd. Wat niet veel mensen weten is dat dit zinnetje een initiatief is van STIVA, de Stichting Verantwoord Alcoholgebruik, dat weer een initiatief is van de Nederlandse producenten en importeurs van bier, wijn en gedestilleerde dranken. De druk op de alcoholproducten en -verkopers is de afgelopen jaren steeds groter geworden, met name omdat velen zich zorgen maken over het drankgebruik van jongeren. Zeker de Breezer was een tijdje heel populair onder de jongere jongeren, zo rond een jaar of dertien. En hoe groter de druk, hoe groter de kans op een totaalverbod van alcoholreclame. Met een opvolger van de slogan *Geniet, maar drink met mate* onder de reclames, maar dan gericht op jongeren, hoopte de industrie een dergelijk verbod voor te zijn. In het onderzoek dat werd uitgevoerd in de zoektocht naar de perfecte slogan, werd aan een aantal groepen jongeren in de leeftijd van tien tot negentien jaar diverse bestaande alcoholreclames getoond met daaronder steeds een wisselende slogan. 'Wat ze doen met deze reclame,' legde de jongen aan de rest van de groep uit, 'is dat ze Mario gebruiken, een gamefiguur. Weet je hoe het zit? Ze denken dat wij jongeren allemaal altijd maar gamen en dan denken ze dat als ze een gamefiguur in de reclame stoppen, dat wij daar dan van gaan drinken.' Hij vervolgt, smalend: 'Alsof wij zo stom zijn. Ik game wel, maar ik hoef dat drankje helemaal niet.'

Ook al duurt het even...

Hij, en de rest van de groep, was beledigd. Niet vanwege de reclame zelf, of vanwege het simpele feit dat zoiets bestaat, of dat ze oneerlijk zijn in reclames. Dat zijn allemaal werkelijkheden van het bestaan: reclame is er, en is per definitie oneerlijk, anders was het geen reclame. Maar reclame is ook nodig om deze wereld draaiende te houden. Nieuwe producten hebben dat nodig, anders ziet niemand ze en ook kinderen snappen dat economisch gezien nieuwe producten verkocht moeten worden. Deze jongeren zijn dezelfde kinderen die zijn opgegroeid met de *Donald Duck*, met in die *Donald Duck* zowat elk halfjaar dezelfde ingezonden brief: 'Lieve Donald. Ik ben gek op uw blad en ik lees het elke week. Maar waarom staat er altijd zoveel reclame in? Janneke, acht jaar.' En Donald antwoordt steevast, jaar in jaar uit: 'Lieve Janneke. Blij dat je zo'n trouwe fan bent! En ik snap dat je je blad liever zonder reclame hebt. Maar als er geen reclame was, dan konden we niet zo'n dikke *Donald Duck* maken.'

Via dit medium krijgen ze een deel van deze onofficiële mediatraining. Dag in dag uit getarget worden, bedot worden, illusies voorgespiegeld krijgen en er een paar keer intrappen en teleurgesteld raken doen de rest. Maar waar de jongens echt boos om waren was het gebrek aan respect van volwassenen. 'Denken zij nu echt dat wij zo simpel zijn?' zei een zestienjarige in een ander onderzoek. 'Ken je de Nokia N-Gage? Iemand heeft gewoon ergens aan een bureau gezeten en heeft gedacht: goh jongeren bellen veel en jongeren gamen veel. Laten we die twee dan maar eens samenvoegen en ziedaar de N-Gage. Maar het is een enorm stom apparaat! Het functioneert niet, niet als telefoon en niet als gamesconsole. Denken ze nu echt dat wij zo stom zijn?'

... en ik snap wat je doet!

De reclame-industrie snijdt in haar eigen vingers omdat zij regels hanteert van voorheen, van voor deze officiële en onofficiële mediatraining die onze kinderen en jongeren krijgen. Als reclame zwemwater is, dan leer je vanzelf zwemmen. En je springt erin of eruit als je er zin in hebt... en soms ga je liever naar een pretpark en laat je dat zwembad links liggen. De reclame-industrie heeft het lange tijd kunnen volhouden door ervan uit te gaan dat zij slimme afzenders zijn en dat de ontvangers (zowel volwassenen als jongeren) dom zijn en vallen voor elke truc in de marketing- en communicatiehandboeken. En jongeren zijn absoluut allergisch voor iedereen die hen als dom en daarmee respectloos behandelt. Reclame is best, kan leuk zijn, soms zelfs regelrecht lollig, maar die moet wel respect tonen. En als je jongeren echt iets wilt vertellen, doe dat dan niet in de vorm van reclame. Een echte boodschap via het middel reclame willen overbrengen is op zich al een vorm van disrespect. De achterliggende boodschap is namelijk, en die horen jongeren heel erg goed: blijkbaar kan ik jullie alleen iets vertellen als ik het in een spetterende reclamecampagne stop. De aanname van velen is namelijk dat jongeren compleet vallen voor alle soorten van reclame – terwijl juist het tegendeel waar is.

Uiteraard is dit een proces, een proces dat een aantal jaren duurt, dat een kind leert met vallen en opstaan. Daar kun je als ouder natuurlijk altijd bij helpen en het proces een beetje versnellen. Maar ga er nooit van uit dat onze kinderen willoze slachtoffers van de reclame-industrie zijn. 'Weet je waarom er van die tekeningen op de achterkant van de pakken hagelslag staan?' vertelde een meisje van zeven ons. 'Dat is voor mijn moeder. Mijn moeder denkt dat ik dat leuk vind en dan koopt ze die hagelslag voor mij.' Soms zijn ze namelijk nog een stukje slimmer dan wij in het blootleggen van de verborgen mechanismen van verleiding.

Ik wil een meester (of juf) die om me geeft

'Ik heb voor iedereen respect, behalve voor de meester, want die heeft ook geen respect voor mij,' aldus een achtjarig jongetje in ons IOVI-onderzoek. Zijn stellige opmerking werd beaamd door de rest van de groep. Op de vraag hoe je dan merkt dat de meester geen respect voor hem heeft, antwoordt hij: 'Je merkt het aan zijn gedrag. Als ik bijvoorbeeld iets niet snap en ik vraag of hij het nog eens wil uitleggen, dan wordt hij boos en zegt dat ik maar op moet letten. Maar als ik heb opgelet en ik snap het nog steeds niet, dan moet hij het toch uitleggen? Dus heb ik ook geen respect voor hem.'

Begint die ongein nu ook al op de lagere school, zul je misschien denken. Op de middelbare school is woord respect een van de meest ge- en misbruikte woorden, met name in de onderbouw. Respect heeft heel veel verschillende betekenissen voor leerlingen van de middelbare school, van docenten die zich respectloos gedragen omdat ze niet goed les kunnen geven, geen orde kunnen houden, zomaar een andere baan nemen en dan de leerlingen in de steek laten, niet luisteren, de leerlingen niet bij de voornaam kennen, noem maar op. Maar op de lagere school werkt het anders: ook daar hoor je het woord respect al vallen, maar daar betekent het niet wat het voor de oudere kinderen/jongeren betekent. Op de lagere school heeft respect te maken met veiligheid: je veilig voelen in de klas met een meester of juf die je kunt vertrouwen.

Ik kan niet tegen oneerlijkheid!

Op de lagere school vormen de klassen hechte groepen, waar ze lang bij elkaar zitten en elkaar zowel emotioneel als sociaal heel goed leren kennen. De relatie met de meester of juf is een een-op-een-relatie, waarbij het persoonlijk contact met hem of haar cruciaal is voor het welbevinden van het kind op school. Kort gezegd: een meester of een juf kan de sfeer in de klas maken of breken. En hoe veiliger het in de klas is, hoe meer een kind zichzelf mag zijn, zich mag ontplooien, hoe beter de meester of juf oplet dat de kinderen goed met elkaar omgaan, elkaar niet uitlachen en pesten, hoe veiliger het kind zich voelt. Respect heeft in de ogen van kinderen van een jaartje of acht, negen alles te maken met eerlijkheid, rechtvaardigheid en het simpelweg aardig zijn tegen elkaar. 'Dat je iemand goed behandelt,' zeggen de jongetjes van acht, negen jaar. 'Dat je goed met elkaar omgaat, dat je aardig bent voor elkaar,' zeggen de meisjes van diezelfde leeftijd.

Zo kunnen kinderen van deze leeftijd totaal niet tegen oneerlijkheid. Hun rechtvaardigheidsgevoel kan nog heel zwart-wit en rechtlijnig zijn, maar is hoe dan ook sterk aanwezig. Regels, als die eenmaal zijn afgesproken, dan moet je je daar ook aan houden, net als beloftes, eenmaal gedaan kunnen ze niet verbroken worden. 'Ik ben weleens boos op papa, want hij heeft dan beloofd iets leuks met mij te gaan doen, maar dan komt hij die belofte niet na,' hoorden we een achtjarig jongetje in ons onderzoek. Het is leuk om af en toe ondeugend te zijn en te kijken in hoeverre je ietwat onder de regels uitkunt, maar in principe zijn regels gewoon regels. Zo was Jens enorm boos over het hem aangedane onrecht. Hij was brutaal geweest in de klas en had de meester aangesproken op iets. De meester had hem voor de groep straf gegeven. Dat was allemaal nog prima, want Jens wist dat hij stout was geweest. Totdat de meester hem na schooltijd even liet blijven en vertelde: 'Ach, trek het je niet aan dat ik je straf heb gegeven. Ik meende het niet, want ik ben het eigenlijk wel met je eens. Maar ik wilde de rest van de groep laten zien dat je zo niet tegen me kunt spreken.' Toen barstte de bom bij Jens: fout zitten en straf krijgen, dat is goed, maar straf krijgen terwijl de meester zegt het eigenlijk wel met hem eens te zijn, dat wilde er bij hem niet in. Dat was in zijn ogen volstrekt oneerlijk.

Oneerlijkheid is zielig

Ook een groeiend gevoel van empathie en begrip voor de ander is zichtbaar in deze periode. Kinderen van acht, negen jaar, we noemden het al eerder de kinderpostzegelleeftijd, kunnen zich hoe langer hoe meer invoelen in situaties van anderen. 'Ik zocht vroeger op school altijd het zielige kindje op dat alleen stond. Ik vond dat zo erg! Ik werd dan juist bevriend met haar, zodat ze minder eenzaam zou zijn,' vertelt een moeder van begin veertig over haar schooltijd. Een andere moeder: 'Ik heb op school dikke ruzie gemaakt met de juf omdat zij tegen mijn vriendje zei dat hij zijn grote apentenen van tafel moest halen. Mijn vriendje was zwart en zij noemde hem een aap. Dat kon natuurlijk niet! Dus heb ik het hele schoolplein opgeruid om tegen de juf te zijn, in verdediging van hem.' En dat gevoel van eerlijkheid, van iemand zielig vinden strekt zich niet alleen uit tot vriendjes en vriendinnetjes, maar ook tot de grote zaken: milieu, dierenleed, zielige kindjes in derdewereldlanden, noem maar op. Zoals we al beschreven in het vorige hoofdstuk is er een hele industrie gericht op deze eigenschappen van kinderen, door lespakketten te maken, maar ook door ze in te zetten voor allerlei goede doelen, waarbij deze organisaties met name inspelen op hun sterke gevoel voor rechtvaardigheid, zonder de nuance aan te brengen die wij volwassenen al wel zien. Zo zijn er voldoende meisjes die op hun achtste besluiten vegetariër te worden omdat vlees eten zo zielig is voor dieren of die in allerlei actieclubjes gaan. 'Mijn dochter wil alleen nog maar fair trade hagelslag. Ze heeft erover gelezen en nu weigert ze nog Venz hagelslag te eten,' vertelde een moeder over haar negenjarige dochter in ons onderzoek. Gezamenlijk het onrecht in de wereld bestrijden – het is geweldig om te zien dat enthousiasme, maar we moeten niet uit het oog verliezen dat we ook eerlijk moeten zijn.

Er zijn echter voldoende goededoelenorganisaties die bewust een boodschap vertellen waarvan ze denken dat die vooral bij kinderen goed aankomt: beelden en verhalen van zielige kindertjes en dieren raken op die leeftijd nog wel – maar als ze er dan achterkomen dat de organisaties hebben gelogen of slechts een deel van de waarheid hebben verteld, of eigenlijk een compleet ander doel hebben, dan ben je bij deze kinderen aan het foute adres – dan ben je respectloos en krijg je ook geen respect meer terug.

Iedereen hoort erbij

In dat gezamenlijke strijden tegen onrecht zit bij onze kinderen ook het gevoel dat iedereen erbij hoort, want uitsluiting is zielig en dat doe je niet. 'De ideale groep voor kinderen is een zo'n gemêleerd mogelijke groep, waarin iedereen vertegenwoordigd is: wit, zwart, nerds, ADHD'er, stille muisjes – ze horen er allemaal bij. Dat is namelijk wat een groep leuk maakt. Het saaist is een groep waarin iedereen is zoals jij bent: allemaal hetzelfde.
Maar dat kan alleen als de meester of juf een veilige sfeer creëert. Het elkaar uitsluiten, het pesten, het gebeurt, ook onze kinderen doen dat – maar in een veilige klas is de kans daarop veel kleiner. 'Het is fijn als er regels zijn over hoe je met elkaar praat,' zei het te grote en te dikke meisje van elf jaar, tijdens een onderzoek in de klas. De regels die op het bord waren geschreven hadden te maken

met hoe je een goede discussie met elkaar moest voeren. Regel 1: gaan staan als je iets wilt zeggen. Regel 2: laat elkaar uitspreken. Regel 3: luister naar elkaar en zo verder. 'Want als er regels zijn, dan kun je zeggen wat je wilt, dan kun je het ook met elkaar over moeilijke dingen hebben zoals pesten.'

Dream Support is een organisatie die workshops geeft op scholen over dit thema, over hoe je een veilige klas kunt maken. 'Onze droomschool is een plek waar jongeren zich gesteund en gewaardeerd voelen door docenten en medeleerlingen. Er zijn betrokkenheid en acceptatie voor elkaar. Op deze school kun je jezelf zijn en worden jongeren gestimuleerd en geholpen om het beste uit zichzelf te halen. Gezamenlijk is er de wil en inspiratie om te werken aan een positieve sfeer op school,' aldus de website. Het project 'Veiligheid op school' heeft als doel de klas een veilige plek te maken waar kinderen en jongeren zich gesteund voelen door docenten en medeleerlingen. Jeroen van dertien, uit de brugklas van De Fontijn uit Bussum, verwoordde het als volgt: 'In het begin van het schooljaar ken je nog niemand, maar door het spel "cross the line" – waarbij we antwoord moesten geven op vragen door over een streep te stappen of juist te blijven staan – leerden we elkaar echt kennen. Het was wel heftig, want opeens hoor je iets wat iemand heeft meegemaakt. Het is nu veel leuker in de klas, want je snapt elkaar beter en we luisteren naar elkaar.'
Toen we zelf bij een van de workshops in de klas aanwezig waren viel op hoeveel emoties bovenkwamen, hoe sterk de behoefte was om deze met elkaar te delen. In een brugklas in Naarden zei een van de meisjes over ADHD: 'Het is goed dat er ook iemand met ADHD in de klas zit, maar soms, als hij zijn pillen niet heeft gehad, dan is hij wel heel erg druk hoor.' En de jongen in kwestie zei daarop: 'Ik vind het eigenlijk niet zo leuk dat jullie dat allemaal zeggen – als hij zijn pillen niet heeft gehad – alsof ik alleen maar leuk ben als ik pillen

op heb.' Het meisje en ook anderen in de klas verontschuldigden zich bij hem, 'O sorry, we wisten helemaal niet dat je dat zo vervelend vond!'

Verwacht veel van ons, we kunnen het

'Prestaties slechter op gemengde school,' kopte dagblad *Trouw* op 18 juni 2010. 'Gemengde scholen zijn niet bevorderlijk voor de onderwijsprestaties, althans in het voortgezet onderwijs. Scholen met bijvoorbeeld alleen maar leerlingen uit islamitische landen of alleen maar autochtone kinderen scoren beter. Deze conclusie trok onderwijssocioloog Jaap Dronkers uit onderzoek naar leerprestaties van vijftienjarige leerlingen in verschillende landen. Prestaties van Nederlandse leerlingen werden niet in het onderzoek betrokken, daarvoor ontbraken de benodigde gegevens. 'Niet erg,' vindt Dronkers, 'Het Nederlandse onderwijsstelsel is niet uitzonderlijk en de uitkomsten van het onderzoek zullen hier ook gelden,' aldus het artikel. Deze conclusie komt voort uit de cijfers, maar het waarom van het slechte presteren is daarmee niet te verklaren. En zeker niet als we zien dat onze kinderen deze diversiteit juist willen. Kinderen groeien op in een maatschappij waarin nu eenmaal alle soorten en maten mensen voorkomen, en dat hoort er ook gewoon bij. Maar soms moet je misschien leren beter met elkaar om te gaan – en ook hierin is de meester of juf weer cruciaal.

Er zijn namelijk genoeg voorbeelden van scholen die juist prima werken met een gezonde mix van kinderen. Zo ook de Sint-Catharinaschool te Amsterdam. Driekwart van de leerlingen is van niet-Nederlandse herkomst, bijvoorbeeld Turks of Marokkaans – en de school boekt al jarenlang uitstekende resultaten: de gemiddelde Cito-score in groep 8 ligt rond de 540 (havo-vwo-niveau), 5 punten boven het landelijk gemiddelde, veel hoger dan op scholen met een vergelijkbare populatie. De oud-leerlingen doen het goed in het vervolgonderwijs. Hoe kan het toch dat deze school het dan zo goed doet? Dat de leerlingen lekker aan het werk zijn, veel leren maar ook tevreden zijn – en de ouders ook? In een interview in *de Volkskrant* zegt directeur Theo Durenkamp hierover: 'Kennisoverdracht is bij ons belangrijk. We besteden veel aandacht aan rekenen en taal. We geven zo veel mogelijk klassikaal onderwijs. Waar nodig, voor kinderen die er naar boven of beneden toe uitspringen, geven we individuele aandacht. Het belangrijkste is: hoge, positieve verwachtingen hebben. Je moet geen vooroordelen koesteren. Leren is niet zielig. Je mag best wat eisen, als je maar gelooft in een kind. Ik denk altijd aan het beeld van de voorgehouden Peijnenburg-koek in het bekende reclamespotje: je trekt het kind mee, het blijkt telkens harder te kunnen. Maar het mag geen onhaalbare eis zijn; hij moet wel kunnen toehappen.'

Als ik je niet mag doe ik ook niet mijn best

Geloof in het kunnen van het kind, het op een positieve manier stimuleren om het beste eruit te halen – het klinkt logisch, maar dat is het niet. 'Mijn zoon werd nooit gepest op school en had het uitstekend naar zijn zin, ondanks zijn problemen. Hij hoorde erbij, hij was onderdeel van de groep, hoe raar ze hem soms ook vonden doen, dat maakte niets uit. Zijn school was voor ons de beste van Rotterdam. Tot hij naar een andere klas ging en een andere meester kreeg. Vanaf dat moment ging het mis: hij begon gepest te worden, hij hoorde er niet meer bij en raakte hoe langer hoe meer in een isolement. De meester? Die deed er niets aan, die haalde zijn schouders op. Alsof hij het stiekem goedkeurde dat mijn zoon gepest werd. We hebben hem uiteindelijk van school moeten halen,' vertelde een vader.

Tja, meesters en juffen zijn ook mensen, net als wij allemaal, en soms zitten er rotte exemplaren tussen. 'Ik was vorige week op een tienminutengesprekje op school, en in die tien minuten heb ik de termen ADHD, dyslexie, "van school af" en Ritalin horen vallen. Nu weet ik dat mijn zoon niet de rustigste is, maar ik weet ook toevallig dat hij een hekel aan deze juf heeft, die in zijn ogen niet lief en niet eerlijk is. Hij gedraagt zich bij haar op zijn slechtst, iets wat hij in andere klassen bij andere juffen niet deed. Dus ik snap dat hij moeilijk is, maar om dat dan allemaal maar bij hem te leggen? Ik vroeg aan de juf of haar gedrag, hun interactie er ook misschien iets mee te maken kon hebben? Ze keek me aan of ik vloekte in de kerk. Dat het aan haar zou liggen? Poeh, hoe ik erbij kwam,' vertelt een andere vader over zijn zoon van negen. Een moeder van een zoon van acht beaamde dit: 'Ook mijn zoon kwam bij een andere juf in de problemen. Nooit iets aan de hand in voorgaande jaren, maar bij haar lukt het niet. Dus riep zij mij op het matje met de melding dat mijn zoon ADHD zou hebben en dat als hij niet aan de pillen ging zij hem geen les meer kon geven en hij van school af zou moeten. Uiteindelijk na veel onderzoeken werd bevestigd wat wij al wisten: onze zoon heeft helemaal geen ADHD, maar de pest aan zijn juf. We zijn naar een andere school vertrokken, waar hij nu in een klas met een geweldige meester zijn stinkende best aan het doen is. En o, wat ben ik blij dat ik naar mijn eigen gevoel heb geluisterd en hem niet aan de pillen heb gedaan!'

Want wij zijn emotioneel nog slimmer dan onze broers en zussen

Het lijkt een inkopper, maar blijkbaar is dat niet zo: als je niet van kinderen houdt, als je niet met ze kunt omgaan, wat doe je dan in het onderwijs? Als je niet kunt organiseren, wat doe je dan bij een organisatiebureau? Waarom is deze vraag logisch in alle andere sectoren, behalve in het onderwijs? En onze kinderen voelen heel duidelijk aan welke meester of juf wel of niet om ze geeft. Want deze nieuwe generatie kleine kinderen is emotioneel nog slimmer dan zijn of haar grote broers en zussen. 'Meisjes zijn nu eenmaal anders dan jongens,' zegt een achtjarige jongen in ons onderzoek. 'Ze willen altijd complimentjes en cadeautjes, dat we ze als een prinsesje behandelen. Maar ik wil ook weleens een cadeautje.' Ja, beaamde de rest van de jongens zuchtend, meisjes kunnen heel lastig zijn. Toch hebben ze geen problemen om met ze om te gaan. 'Dat is heel makkelijk hoor. Je zegt gewoon overal ja op en je geeft ze gewoon steeds gelijk.'

'Jongens houden van vechten en meisjes van bekvechten,' somt een andere jongen op. 'Maar dat is niet erg hoor, dat ze anders zijn. Ze zijn gewoon anders en irritant.'

En ze spelen nog steeds met elkaar, rekening houdend met de verschillen. 'Je moet gewoon niet zo ruw zijn als meisjes meedoen, een beetje rekening met ze houden.' 'Jongens zijn gewoon wilder dan meisjes,' vertelde een meisje van acht. 'Ze doen veel vaker stom dan wij, daarom krijgen ze vaker straf.' Beide groepen vonden onafhankelijk van elkaar dat ze elkaar heel goed kenden – en beide groepen vonden dat ook over hun ouders. 'Ik ken mijn ouders heel goed,' riep een van de jongetjes. 'Ik weet precies wat mijn moeder wel en niet wil horen en wat ik wel of niet kan vertellen. Dus vertel ik haar niet alles, want dan raakt ze alleen maar in de stress. Mijn vader kan ik meer vertellen, die snapt alles wat beter.' We hebben reuzeslimme kinderen.

En hoe dit zo gekomen is, dat lees je in het volgende hoofdstuk.

5

Ik word slimmer van tv en games

Kinderen leren tegenwoordig niet alleen via internet, maar ook tv en games dragen hun steentje bij, ook al leren ze daar misschien andere dingen dan wij verwachten (of zouden willen). Over games is in de pers en in onderzoeken een hoop gezegd en onderzocht, maar vrijwel allemaal vanuit een negatieve insteek. Toen in augustus 2005 in Zuid-Korea een jongen in een internetcafé stierf nadat hij non-stop vijftig uur had gegamed, kwam met name de angst voor verslaving aan het licht. Na de schietpartijen op de High School in Columbine werd door iedereen aangenomen dat het feit dat de daders *Doom* speelden, een gewelddadige game, een van de oorzaken voor hun daad was. Het wordt zo algemeen aangenomen dat het spelen van games slecht voor de gezondheid is dat in een Britse campagne tegen overgewicht een jongetje wordt getoond dat op een PlayStation speelt, tot grote ergernis van Sony en andere videogamesfabrikanten.

De wereld van de games is echter allang niet meer alleen voorbehouden aan de kleintjes. De gemiddelde leeftijd van gamers is gestegen tot boven de dertig. Dat zijn niet alleen degenen die games kopen (zoals wij voor onze kinderen) maar die ook zelf spelen. Uit een onderzoek van TNS/Nipo, het Nationaal Gaming Onderzoek 2008, blijkt dat bijna iedereen weleens gamet, van jong tot heel oud. De stelling dat gaming in opkomst is klopt niet, het is al groot, aldus het onderzoek. Per week besteedt de gemiddelde

Nederlander vier uur aan gamen (en 13,1 uur aan tv-kijken). Bijna alle jongeren gamen en doen dat ook veel, maar volwassenen en bejaarden ook. Van de 48 miljoen uur per week die totaal gespeeld wordt, komt 18 miljoen uur voor rekening van jongeren van acht tot negentien jaar.

We doen het allemaal

Dit beeld komt overeen met een groot gameonderzoek dat in de VS is gedaan, door het echtpaar Lawrence Kutner en Cheryl Olson. Zij publiceerden de resultaten van hun 1,5 miljoen dollar kostende onderzoek naar gewelddadige games in *Grand Theft Childhood, The surprising truth about violent video games*. '*In 2005 the Kaiser Family Foundation surveyed over two thousand kids in grades three to twelve. (...) Just seventeen children out of 1254 had never played video or computer games.*' Gamen is inmiddels een net zo normale tijdsbesteding als voor ons tv-kijken was in onze jeugd, alle kinderen en jongeren doen het, zowel thuis als bij vriendjes en vriendinnetjes, op consoles, op de computer, online.

En ondanks het feit dat er zeker zeer succesvolle schiet- en vecht-spellen zijn, is slechts een klein deel van alle games gewelddadig. Tachtig procent van alle gamers speelt niet-gewelddadige games op de pc. Puzzelspellen zijn favoriet op de pc en adventure- en strategiespelen op de consoles, aldus TNS/Nipo in het Nationaal Gaming Onderzoek. De '*surprising truth*' waar Kutner en Olson het dan ook over hebben, is dat er geen enkel bewijs is te vinden voor de stelling dat het spelen van gewelddadige games leidt tot gewelddadige kinderen. Bijna alle kinderen en jongeren gamen en allemaal hebben ze in de gaten dat games niet echt zijn, en dat geweld in een game grappig, gaaf of spannend kan zijn, maar dat dat niets te maken heeft met geweld in de echte wereld. Een gamewereld is een fictieve wereld, en kinderen snappen dat. Vaak raken ze dan ook meer overstuur van het nieuws op tv dan van wat ze zien in games. Vooral jongetjes spelen games met elkaar als onderdeel van hun sociale activiteiten. Ze hebben iets om over te praten met elkaar, kunnen van elkaar winnen en leren omgaan met hun verlies als ze worden ingemaakt door hun vriendjes.

Ook qua verslaving valt het alleszins mee. Zolang je kind meedoet op school, vriendjes heeft, goede cijfers haalt en 's nachts gewoon slaapt, oftewel een normaal functionerend gelukkig kind is en daarnaast ook elke dag gamet, dan is er niets aan de hand. Is je zoon van negentien ontslagen, zit hij zonder ooit de deur uit te gaan op de bank, heeft hij geen vrienden, is hij depressief, komt hij zijn kamer niet uit en speelt hij géén games, dan heb je alle redenen om je flink ongerust te maken. Ook in dit opzicht geldt: de context waarin gegamed wordt zegt alles.

Ik lees en speel games om verschillende redenen

Games als onderdeel van het groepsproces, iets wat je doet met je vriendjes, zowel online als thuis op de bank, is iets wat velen van ons misschien wel geruststelt. Maar dat zegt dan nog niets over de andere zorg: als het dan niet slecht is, is het dan wel goed? Kunnen we niet beter in onze kinderen een leesbehoefte stimuleren en die games achter slot en grendel zetten? Het beste dat steeds werd gezegd in artikelen over games is dat het de oog-handcoördinatie kan verbeteren, maar meer ook niet. Tot Steven Johnson. In zijn boek *Everything bad is good for you* (2005), zegt hij dat gaming en tv-kijken ons slimmer maken in plaats van dommer. Lezen en gamen zijn beide bijzonder leerzaam, stelt hij, en wat je ervan leert is even waardevol als totaal verschillend: '*The cognitive benefits of reading involve these faculties: effort, concentration, attention, the ability to make sense of words, to follow narrative threads, to sculpt imagined worlds out of mere sentences on the page'*, aldus Johnson. En alle boekenlezers onder ons, wij dus, weten dat dat waar is. Als een boek ons pakt, dan brengen we de aandacht en concentratie op om uren achtereen stil te zitten, verloren in het verhaal. Personages, situaties en andere werelden komen tot leven in je hoofd, je huilt en je lacht mee, je bent even helemaal weg uit het hier en nu.

Over gaming denken we anders, en diegenen die gamen tijdverspilling vinden, zijn volgens Johnson vaak ook diegenen die nog nooit een videogame hebben gespeeld. *'We rarely hear accurate descriptions about what it actually* feels like *to spend time in these virtual worlds.'* De ervaring die je kunt hebben in games, is vaak net zo overweldigend en meeslepend als die van goede boeken, de ervaring en de emoties kunnen net zo diepgaand zijn als die van de beste literatuur. Zij die nog nooit *Zelda: Ocarina of Time* hebben gespeeld, kunnen niet begrijpen waarom de hele gamewereld dit spel unaniem tot het beste spel aller tijden heeft verklaard. Iemand die nooit *Final Fantasy* VII heeft gespeeld, snapt niet waarom de gamers nu nog zuchtend terugdenken aan de scène waarin Aeris stierf, een scène waarvan veel gamers (ja, ook die stoere) onderling hebben toegegeven dat ze een traantje moesten wegpinken. Niemand die ooit uren of dagen heeft vastgezeten in een spel, omdat het te moeilijk was om verder te komen, snapt hoe moeilijk games eigenlijk zijn.

En het is nog hard werken ook!

Games zijn namelijk heel erg moeilijk, en het is vaak nog hard werken ook. Veel tijd die je spendeert aan games is helemaal niet leuk, maar juist frustrerend omdat je vastzit, of niet meer weet wat je moet doen om verder te komen. En daar moet je dan over nadenken, zozeer dat het kan voorkomen dat je in het dagelijks leven loopt te knagen op een probleem dat je maar niet opgelost krijgt in de game. 'Ik heb maanden vastgezeten in een heel oud pc-spel, *Legend of Kyrandia* van Westwood. In die tijd had ik nog geen internet, en sites als Gamefaqs.com bestonden nog niet. Ik moest er dus in mijn eentje uitkomen. Soms bedacht ik 's nachts een oplossing en dan rende ik naar mijn computer, zwengelde die aan, startte het spel op en proberen maar... om bijna 99 procent van de keren weer teleurgesteld naar bed te gaan,' vertelt Iris, 41 jaar. 'Dankzij gamefaqs heb ik dat niet meer. Ik denk nog steeds lang na, maar niet meer maanden. Die frustratie, daar heb ik geen zin meer in. Het mag best moeilijk zijn, graag zelfs, maar niet onmogelijk.'

En soms lijkt gamen gewoon op werken, zeker in bijvoorbeeld games als *World of Warcraft*. In deze enorm grote virtuele wereld, waar miljoenen elke dag gamen, gaat het voor een deel om de strijd met andere spelers, maar voor een groot deel ook om iets heel anders. Als je als gamepersonage verder in het spel wilt komen, heb je op een gegeven moment goud nodig om bijvoorbeeld een snel paard te kunnen kopen. Je kunt alleen maar aan goud komen door iets te maken en te verkopen. Zo kun je in *World of Warcraft* kiezen uit een flink aantal beroepen, bijvoorbeeld *alchemy* of *blacksmithing*. Maar om zoveel goud te kunnen verdienen om echt dat paard te kunnen kopen, moet je heel goed zijn in je vak. Een zwaard maken dat veel geld oplevert, is van een hoog *level*. In de praktijk komt het er op neer dat, om zo'n zwaard te kunnen maken, je dagen bezig bent met het mijnen van grondstoffen, het maken van kleinere goedkopere zwaarden en andere spullen, net zolang totdat je level 300 hebt, en de echt leuke dingen aan bod komen. Dit kost weken, zo niet maanden. Dus ook die puber die geen enkele zin heeft om klusjes in huis te doen, kiest er dus vrijwillig voor om in zo'n spel doorlopend klusjes te doen – alleen maar om verder te kunnen komen in een spel.

Ik leer van gamen iets anders dan van lezen

Leren we veel van lezen, zo leren we ook veel van games, stelt Johnson, maar dan anders. Je kunt beide disciplines dan ook niet met elkaar vergelijken. Typisch voor games is dat de speler er in een game zelf achter moet zien te komen wat het spelmechanisme is, wat er van hem wordt verwacht, welk probleem er opgelost moet worden en hoe je daar komt. Een game is een einddoel dat je alleen maar kunt bereiken als je een flink aantal tussendoelen hebt bereikt, en om die te bereiken moet je elke keer weer een nieuw probleem oplossen. In feite heeft dit meer te maken met wiskunde dan met literatuur. Het verhaaltje is in games vaak eerder een vehikel voor de problemen die je moet oplossen, dan dat ze nu zo literair meeslepend zijn (maar ook hier zijn er weer uitzonderingen natuurlijk). De meeste verhaallijnen gaan in de trant van: red de prinses, red de wereld, versla die vijand. Het uitvissen van de onderliggende structuur van games is iets wat je kunt leren en wat elke gamer doet (wel móét doen, anders kom je echt nooit een stap verder in een game). Dit noemt Johnson *telescoping*: het aanbrengen van orde in de chaos, dus de juiste hiërarchie van taken aan te leggen en die taken in de juiste volgorde doen. Het is het uitvissen van de onderliggende relaties en het bepalen van de prioriteiten. Gamers zoeken naar de verborgen regels, naar patronen en leren beslissingen te maken in schijnbaar onzinnige gamewerelden. Maar ze leren dit ook in het werkelijke leven te doen. Tel dit op bij het feit dat al onze kinderen in meer of mindere mate gamen, en je ziet dat zij op een andere manier leren kijken naar de wereld dan wij gewend waren.

Ons medium was tv. En al kijken ook alle kinderen en jongeren tegenwoordig televisie, tv nu is niet hetzelfde als waarmee wij zijn opgegroeid. Iedereen die weleens 'lost' is geraakt in een tvserie als *Lost* snapt waar we het over hebben. Tv-series zijn in toenemende mate ingewikkelder geworden en stellen hogere eisen aan onze eigen capaciteit om te snappen wat er gaande is op het scherm. Vroeger werd je een stevig handje geholpen: witte cowboyhoeden waren 'the good guys', die met die zwarte de 'bad guys'. In horrorfilms bleef de camera vaak even een paar seconden nadrukkelijk hangen op de deur die opengelaten was... en we wisten dat er een griezel naar binnen zou glippen terwijl niemand het doorhad. Series hadden een of misschien twee plotlijnen, want anders zouden we de draad misschien kwijtraken. Vergelijk dit met series van nu. In ER wordt het medische jargon niet meer uitgelegd, in *Seinfeld* worden grappen gemaakt die verwijzen naar situaties van zoveel afleveringen geleden. En als je de grap mist, jammer dan. Er wordt een steeds groter beroep gedaan op je eigen geheugen en op je eigen analytisch vermogen om te bepalen wat wel belangrijk is voor de plot en wat niet. Jongeren zijn een kei in het onthouden en uitzoeken van de relaties van bijvoorbeeld soaps, die herinneren zich nog dat Jan toen onaardig was tegen Eva waardoor zij toen vreemdging met Klaas, die homo blijkt te zijn, maar dan tien afleveringen later toch besluit weer voor de meiden te gaan. Worden wij al moe bij de gedachte alleen al: jongeren onthouden dit. Dat ze zelfs verregaande mensenkennis opdoen van ons huidige tv-aanbod, bespreken we in hoofdstuk 8.

Ik hoef niet alles te weten

Kinderen en jongeren kunnen met meerdere informatiestromen omgaan, met discontinue informatie – want dat is in feite waar we over praten. Informatie wordt niet meer netjes voorverpakt, niet meer op volgorde gelegd zoals wij dat vroeger voorgeschoteld kregen op school en in de bibliotheek. Er is een enorme berg aan informatie, en die berg wordt alleen maar groter (of de zee dieper). Kinderen en jongeren begeven zich van jongs af aan al in deze wereld, met al deze informatie, en ze weten dus niet beter dat: 1) er altijd te veel informatie is om te kunnen weten, 2) lang niet alle informatie even waardevol is, 3) informatie niet gestructureerd is en 4) lang niet alles belangrijk is voor jezelf om te weten. Was onze wereld nog lineair – boeken lees je van voor tot achter, op school krijg je onderdeel A voordat je aan onderdeel B mag beginnen, hun wereld is discontinu. Zij hebben de schone taak zelf structuur en kadering aan te brengen in deze hoeveelheid, en het grappige is, dat doen ze ook. Ze hebben zich de kunst van het skimmen eigen gemaakt, aan de oppervlakte scannen totdat ze iets tegenkomen wat ze interessant vinden. Ze leren patronen zoeken in chaos, ze verwachten geen structuur en leren die zelf aan te brengen. Maar het belangrijkst is misschien wel dat ze zich niet overweldigd voelen door al die bergen informatie. Zij hebben helemaal geen last van informatie-overload, iets wat wij wel voelen. Ze weten namelijk dat er altijd te veel is om te *kunnen* weten, dus *hoeven* ze niet alles te weten. Als ze maar genoeg weten – of vooral, als ze maar mensen kunnen vinden die wel alles over een bepaald onderwerp weten. Dus gaan jongeren op zoek naar mensen met een passie, vanuit het idee dat gepassioneerde mensen spontaan alles willen weten over hun favoriete onderwerp. En zolang je in een netwerk zit dat mensen met hun passies aan elkaar verbindt, weet je zeker dat er altijd iemand op de wereld rondloopt die jou kan helpen, mocht je er niet uitkomen.

Onze kinderen en jongeren leren van alles wat ze doen, buiten de officiële kanalen om, van elke activiteit die ze ondernemen. Of ze nu gedreven worden door nieuwsgierigheid en graag alles van hun hobby willen weten, of gedreven door ambitie omdat ze ook de beste voetballer willen worden, of simpelweg het gezellig vinden met zijn allen te gamen – ze leren. En de vaardigheden die ze leren zijn nodig voor deze wereld. Niet dat ze geen boeken meer hoeven te lezen – wat je daarvan leert is net zo noodzakelijk in deze wereld als die andere vaardigheden – maar hun andere activiteiten zijn minstens net zo belangrijk.

World of Warcraft

'Before season seven had started, 2v2 rewards were slated to be completely cut. 3.2 patch notes indicated that Relentless Gladiator gear could only be purchased if a player met the requirements with their 3v3 or 5v5. 2v2 teams, however, could still be used to purchase the previous season's gear (Furious Gladiator gear).'
www.wow.com

Als je niet begrijpt wat hierboven staat, welkom bij de club! Toch gaat de auteur van dit stuk ervan uit dat de lezer niet alleen precies snapt wat er staat, maar er ook een mening over kan hebben. En gek genoeg zijn er voldoende die dat hebben, zoals Aaron die opmerkt: 'Just as a heads up I believe there is no rating requirement for the deadly relic/libram/idol. I bring this up because as a holy paladin I was thrilled to pick up the only libram at level 80 that affects my FoL instead of HL without worrying about an arena ranking :)'.

En het is niet alleen gesneden koek voor hem, miljoenen mensen over hele wereld begrijpen waar dit over gaat. Want World of Warcraft, een online multiplayer role playing game, wordt gespeeld door miljoenen mensen over de hele wereld, van jong tot oud, zowel man als vrouw. En dan zijn er nog diegenen die 'Addons' maken voor het spel, handige tools die je kunt gebruiken in het spel om moeilijke elementen wat te vergemakkelijken of te verfraaien. Behoorlijk wat sites zijn alleen maar gewijd aan dit spel, duizenden fans praten hierover dag in dag uit met elkaar, zowel in als buiten het spel. Virtuele zwaarden worden op eBay verkocht voor echt geld, stellen die elkaar hebben ontmoet in *World of Warcraft* trouwen zowel in het echte leven als in Azeroth met op beide plekken hun beste vrienden. Het is een veelomvattende complexe wereld die je gezien en ervaren moet hebben om te snappen wat de aantrekkingskracht ervan is. Als *level* 49 *warlock* kan ik vertellen dat die aantrekkingskracht groot en sterk is, want de game heeft alles wat een geweldige game zou moeten hebben. Naast lezen is het een van mijn favoriete tijdsbestedingen, al een jaar lang.

Inez

Een leuke gedachte tussendoor: worden we intelligenter?

Idiocracy is de titel van een filmkomedie uit 2006 van Mike Judge. De hoofdpersoon, Joe, is de meest gemiddelde persoon van de wereld. Op elke kaart, op elke grafiek zit hij precies in het midden. Joe Average dus eigenlijk. Totdat hij dankzij een foutje van het leger 500 jaar in de toekomst terechtkomt en daar de slimste persoon ter wereld blijkt te zijn. In deze wereld van de toekomst zijn wij mensen ontzettend dom geworden, dankzij het feit dat domme mensen hordes kinderen krijgen en slimme mensen te lang wachten, te veel aan hun carrière denken en er dan op te late leeftijd achter komen dat het ook niet meer lukt. De mensheid kan niet meer lezen, niet meer schrijven, kan alleen nog maar tv-kijken naar programma's waarbij de hoofdrol wordt gespeeld door iemand die constant op lollige wijze zijn ballen bezeert (oftewel, dat is het niveau humor dan), tussen enorme afvalbergen woont (want niemand weet meer hoe je die kunt wegkrijgen) en honger lijdt omdat de oogsten jaar in jaar uit mislukken. En Joe mag dat gaan oplossen. Als hij er dan achter komt dat de oogsten mislukken omdat de plantjes niet worden besproeid met water maar met Gatorade ('because it's got electrolytes') redt hij de wereld – een wereld geregeerd door idioten.

Nu is deze film niet alleen hilarisch en een echte aanrader, maar zitten er ook griezelige elementen in die je herkent. En dan rijst de vraag: worden we inderdaad dommer? Zijn onze kinderen en jongeren dommer aan het worden, mede door wat ze doen (games) en door wat ze zien op tv? Hoe zit dat met al die verhalen dat kinderen steeds minder goed presteren op school, dat ze niet meer kunnen lezen en schrijven, dat ze dieren niet meer herkennen, dat 30 procent uitvalt van mbo en hbo? Oftewel, leren onze kinderen en jongeren nog wel iets?

Tegenover *Idiocracy* staat het zogenaamde 'Flynn-effect': elke generatie is intelligenter dan de vorige. Nu is dit een beetje een boude stelling, maar in feite komt het er op neer dat bij elke generatie het IQ een aantal punten stijgt. Zo is in Nederland het IQ met acht punten gestegen tussen 1972 en 1982. De Amerikaanse filosoof en politicoloog James Flynn ontdekte dit toen hij de geschiedenis van de IQ-scores onderzocht, met als doel een tegenwicht te vormen tegen onderzoek van Arthur Jensen die een gat had ontdekt tussen witte en zwarte IQ-scores. Hij wilde aantonen dat IQ-testen een product van een cultuur zijn, en niet van biologie (opvoeding versus genetisch materiaal) en vond dat de afgelopen vijftig jaar de scores van Afrikaanse Amerikanen dramatisch waren gestegen. Betere scholing zou hiervoor een verklaring kunnen zijn, maar wat hij niet kon verklaren was dat hij dezelfde stijging zag bij alle anderen. Over de gehele linie stegen de scores, ongeacht ras, huidskleur, afkomst of opleiding. In 46 jaar was het Amerikaanse volk gemiddeld 13,8 punten gestegen in score. Dat niemand dit had gezien kwam doordat elke paar jaar de examens werden aangepast zodat iemand met een gemiddelde intelligentie een score van 100 zou halen. Zonder dat men het echt doorhad werden de testen steeds moeilijker gemaakt.

Dit werd eind jaren zeventig ontdekt en men is er nog altijd niet achter hoe dit komt. Want zomaar aannemen dat we simpelweg echt slimmer zijn geworden, dat kan natuurlijk niet. IQ-testen staan sowieso onder druk omdat we er inmiddels achter zijn dat er toch echt meerdere vormen van intelligentie zijn die je niet kunt meten met een IQ-test. Maar toch, het is een interessante vraag: stel dat we slimmer worden met zijn allen, hoe komt dat dan? Zijn het kleinere gezinnen, waarin er meer aandacht is voor de individuele leden van het gezin? 'Onderzoekers van het Noorse nationale instituut voor volksgezondheid en de universiteit van Oslo hebben nu gevonden dat in Noorwegen de daling van de gezinsgrootte bijna gelijke tred houdt met de stijging van de intelligentie,' aldus NRC Handelsblad online op 19 april 2008. Of is het betere voeding, meer en beter onderwijs, slimmer speelgoed?

Volgens Steven Johnson van *Everything bad is good for you* is het duidelijk: '*It's not the change in our nutritional diet that's making us smarter, it's the change in our mental diet.*' Hij vergelijkt een tienjarig spelend (en dus denkend) kind van honderd jaar geleden met nu: boeken kunnen lezen waar mogelijk, spelen met eenvoudig speelgoed en werken, klusjes thuis of als een echte kinderarbeider. Vergelijk dat met een tienjarige nu en je ziet gelijk het verschil. '*Their classroom may be overcrowded and their teachers underpaid, but in the world outside school, their brains are being challenged at every turn by new forms of media and technology that cultivate sophisticated problem-solving skills.*' Hoe het ook zij, het definitieve antwoord is nog niet gegeven en de stijging is alweer wat afgenomen, maar 't is toch een leuker idee om in de toekomst slimmere kinderen te hebben dan die ongelofelijk domme van *Idiocracy*.

Ik ontdek de hele wereld

Myrthe van vier wil spelletjes doen. Dus klikt ze op de iPad[8] net zolang totdat ze een spelletje heeft gevonden, maar ze besluit na twee seconden dat het geen leuk spelletje is. Dan gaat ze maar foto's bekijken. Ze bladert razendsnel door de pagina's met miniaturen, totdat ze er een ziet die haar leuk lijkt. Ze dubbelklikt (of dubbeltikt eigenlijk), de foto opent, ze kijkt er even naar, dubbelklikt weer en gaat verder met haar zoektocht naar foto's. Ze doet daarbij dingen met die foto's die de eigenaar van de iPad (Inez van 42) nog niet had ontdekt in de dagen dat ze de gadget heeft en waar Myrthe in twee seconden achter was.

Myrthe is niet de enige die zo snel en zeker met haar vingertjes de iPad bedient, op YouTube staan filmpjes van onder andere een meisje van tweeënhalf die met de iPad speelt en daar woordspelletjes op doet (waarin ze binnen drie seconden de woorden 'bird' en 'bike' maakt). Schuiven, tikken, roteren – kinderen doen het volledig intuïtief en het werkt. Kinderen proberen, onderzoeken, raken alles aan en leren daarbij vele malen meer dingen dan dat wij weten. Het is voor ons volwassenen lastig om nog te weten wat het is wat je leerde vroeger terwijl je aan het spelen was, omdat we er met onze volwassen ogen naar kijken. Schijnbaar onlogisch gedrag kan een heel logische functie hebben – namelijk kijken wat er gebeurt en daardoor leren hoe iets werkt.

Internet, computers, games, ze hebben iets wat op een directe manier aansluit bij de intuïtieve manier van ontdekken, van klikken en uitproberen, van kinderen. Anders dan een boek is er geen verplichte volgorde, is er geen verplichte lijn, is er geen vooraf bepaald thema, tempo en tijdsduur. Dit wil overigens niet zeggen dat boeken niet ook heel erg leuk kunnen zijn – maar ze lenen zich voor een andere manier van leren dan computers dat doen. Heel zichtbaar werd dit ook bij het OLPC-project (One Laptop Per Child). In dit project krijgen kinderen overal ter wereld, maar vooral in de armste gebieden een laptop met internet, die ze zelf mogen houden, waarop ze mogen leren, anderen leren kennen, kortom, ook deel kunnen gaan uitmaken van de rest van de 'connected world'. Binnen een halfuur zijn de kinderen druk aan het klikken en van alles aan het leren, en dat in een gebied waar verder geen technologie is, geen tv's, niets.

Ontdekken zonder fouten

Nintendo snapt dat in de vorm van gamedesigner Shigeru Miyamoto heel erg goed. De man die verantwoordelijk is voor de Mario-spellen vertelde ooit in een interview dat hij de Mario-spellen bewust vanuit het oogpunt van kinderen heeft ontworpen. Games hebben een onderliggende structuur en regels. De truc bij het succesvol spelen van een game is vaak doorkrijgen hoe de regels werken. Als ik dit level wil halen dan moet ik dit plus dat doen, anders werkt het niet. Volwassenen die gamen weten dit en zoeken vanaf het moment dat ze een game opstarten naar deze regels. Dit is een onbewust proces dat groeit door het veel doen van games, waardoor er een soort 'gamewijsheid' ontstaat. Kinderen doen dat echter niet. Zij doen maar wat. Lekker heen en weer lopen in een platformspel terwijl het doel is het eind van het level te halen, rondjes rijden in Mario Kart, met opzet overal tegenaan botsend terwijl ze links en rechts worden ingehaald, en meer van dat 'onlogische' gamegedrag. Kinderen doen in games lekker waar ze zin in hebben, en in een goede game wordt dat beloond. In de Mario-spellen wordt afwijken van het rechte pad beloond doordat ze geheime gangen vinden, bonussen krijgen, schatten en andere geheimen vinden. Ontdekken wordt daardoor actief gestimuleerd. Het is erg knap als je je zo goed in kinderen weet te verplaatsen dat je een game zo kunt maken dat die volledig rekening houdt met dit exploratieve gedrag, door ze niet te dwingen logische en lineaire stappen te maken maar vrij laat rondkijken en prutsen beloont.

We zagen het zelf met Wroet, te vinden op wroet.nl. Het idee was een visuele zoekmachine te maken voor de kleintjes op internet. In Wroet worden een aantal plaatjes getoond van bijvoorbeeld dieren en een kind kan klikken op het plaatje waar het meer informatie (of eigenlijk andere plaatjes) van wil zien. In de testen voorafgaand aan de lancering bleek dat de zoekmachine het beste werkte (lees: het kind had zin om steeds verder door te klikken en plaatjes op te zoeken) als drie van de negen plaatjes niets te maken hadden met het onderwerp. Op het moment dat we de zoekmachine te logisch maakten, werkte het weer niet, omdat de nieuwsgierigheid daarmee totaal niet werd geprikkeld. Er viel dan te weinig te ontdekken.

Ontdekken van de wereld staat centraal in het leven van onze kleinsten. Dit geldt voor alles wat ze doen. Voor hen is de wereld een grote ontdekkingsreis, voor hen is elke situatie weer nieuw, elke plek weer anders en vol vertrouwen (met de steun van hun ouders) gaan ze op pad om dan ook echt alles te ontdekken en te leren. En zoals de pubers en de adolescenten vooral op internet hun leven met elkaar delen en vooral geïnteresseerd zijn in elkaar, zo biedt internet aan de kleintjes toegang tot nog meer interessante werelden om te ontdekken. Want dat is wat internet is voor kinderen: ontdekken. Minder dan hun oudere broers en zussen zijn ze bezig met hun eigen profiel, met het spelletje jongetje-meisje, met het officiële schoolgebruik, maar vooral met het bevredigen van hun nieuwsgierigheid op elk vlak.

Spelen, kleuren en kletsen

'Kinderen gaan steeds jonger online, en ze doen dat ook steeds intensiever,' stelt Remco Pijpers, directeur van stichting Mijn Kind Online in de special *Kinderen en Internet*. 'Er zijn kinderen die al vanaf hun tweede jaar internetten en de 'gemiddelde' driejarige peuter is zo'n 35 minuten per week online.' Jonge kinderen spelen spelletjes, zowel educatieve als de niet-educatieve[9], downloaden kleurplaten die ze zowel offline in geprinte variant of online inkleuren. Als ze wat ouder worden, zo vanaf een jaar of zeven, nemen ze inmiddels steeds vaker een profiel op Hyves waar ze hun vriendjes en vriendinnetjes aan toevoegen. Msn komt dan ook aan bod.

Internetactiviteiten (weleens) 6-14 jaar

	6-9 jaar	10-11 jaar	12-14 jaar
E-mailen	28%	68%	85%
Gericht sites bezoeken	48%	67%	79%
Rondkijken	37%	67%	80%
Filmpjes kijken	51%	70%	82%
Chatten/communiceren met vrienden	33%	72%	87%
Online gamen (kleine spelletjes/grote games)	72%	80%	81%

	6-9 jaar	10-11 jaar	12-14 jaar
Profielpagina's andere jongeren	30%	44%	67%
Nieuwssites bekijken	11%	20%	43%

Bron: Jongeren 2009 Qrius

Internetsites 6-14 jaar

	6-9 jaar	10-11 jaar	12-14 jaar
msn	20%	54%	77%
Hyves	39%	69%	80%
Nickelodeon.nl	46%	45%	21%
Jetix	38%	33%	17%
Spele.nl	50%	60%	51%
Wikipedia	6%	15%	31%
Google	28%	58%	66%
YouTube	37%	56%	65%
Marktplaats	12%	34%	47%

*het percentage kinderen en jongeren dat een internetsite in de afgelopen twaalf maanden minstens één keer heeft bezocht.

Bron: jongeren 2009 Qrius.

Moet je je voorstellen dat je jong bent in deze wereld, waarin vanaf je zevende al je vriendjes en vriendinnetjes een pagina hebben op Hyves, msn'en, foto's uploaden, noem maar op. Waarbij iedereen in je omgeving wel een computer heeft met internet (waarin je je niets kunt voorstellen bij een computer zonder internet).

Dan zou je denken dat deze wereld de ultieme technokick is, waarin alles kan, alles mogelijk is, en dat je daar als kind of jongere dan ook volop gebruik van maakt. Dat kinderen en jongeren er in overtreffende trap gebruik van maken, met alle voors en tegens van dien – meer en langer gebruik van internet, het sneller oppikken van nieuwe applicaties, toepassingen of websites, er als de kippen bij zijn als iets nieuws gebeurt. Dat alle sociale contacten nu via internet lopen, dat ze liever de hele dag achter de computer zitten en op die manier hun sociale interactie met wie dan ook beleven, of dat nu vriendjes en vriendinnetjes zijn of met opa en oma. Dat ze constant hun profielen pimpen, alleen nog online spelletjes met elkaar doen, kortom, het fysieke sociale leven hebben verruild voor een technologisch, digitaal, in hun ogen beter sociaal leven...
Niet is echter minder waar.

Is internet alles wat er is?

'Ik msn vooral met mijn vriendinnetjes voordat ik naar school ga en later als ik dan weer thuis ben,' zegt een meisje van twaalf over haar computergebruik in een door SARV uitgevoerd onderzoek naar media en mediabeleving onder kinderen. En dat bleek voor alle kinderen zo te zijn: digitaal contact maken met elkaar is vooral een extra, een plus op het normale contact dat er al is op school. School is een heel belangrijke plek voor kinderen en jongeren, juist omdat daar al hun vriendjes zijn, en die fysieke nabijheid zouden ze niet willen missen. Als we de vraag stellen of het niet makkelijker is school maar gewoon op te heffen en dan alle lessen online te geven, dan schudden alle kinderen en jongeren heftig nee. 'School moet blijven, want daar zie ik al mijn vrienden,' zeggen ze dan. Net zoals voor ons volwassen werk leuk kan zijn, dankzij de collega's die je hebt, zo geldt dit voor kinderen ook.

'Msn, dat deed ik vroeger ook,' vertelde een meisje van twaalf in mediaonderzoek. 'Toen ik tien was deed ik het aldoor, maar nu vind ik het saai.' Ook al is internet verreweg het meest populaire medium onder kinderen en jongeren (met name onder de 12-14-jarigen), uit het Jongerenonderzoek 2009 van Qrius blijkt dat ze maar een klein deel van de mogelijkheden gebruiken. Ook hier hebben kinderen en jongeren de neiging elkaar op te zoeken. Net als op het schoolplein klitten ze bij elkaar op dezelfde websites en door dezelfde applicaties te gebruiken. In plaats van internet uitgebreid te exploreren en kijken wat er allemaal mogelijk is, kruipen ze juist bij elkaar op bekende plekken of plekken waar ze iets positiefs over hebben gehoord. Dus ook al gebruiken alle jongeren in Nederland minimaal één keer per week internet, het is niet voor iedereen dagelijkse kost. Dit blijkt niet alleen uit de cijfers, wij horen dat jongeren ook regelmatig zeggen. 'Ik sport veel liever,' zegt Sander, student mbo, zeventien jaar, 'Ik moet voor school al veel op de computer zitten en stilzitten, das niet mijn ding. Ik ben liever actief. Als iemand mij wil spreken, dan belt ie me maar.' Zo zijn msn en Hyves heel populair onder de 15-19-jarigen, op latere leeftijd neemt het af en wordt google, nu.nl en bijvoorbeeld marktplaats. nl meer gebruikt. Een verschuiving van communicatie naar informatievoorziening.

In het echt is leuker

Als je hierbij stilstaat is het ook niet vreemd. Als iets nieuw is, is dat natuurlijk leuk en doe je dat vaak, maar de lol gaat er na een tijdje heus wel vanaf. Het begin-enthousiasme verdwijnt dan in dagelijks gebruik en dan komen er wel weer andere dingen die leuk zijn om te doen of om uit te proberen. Zo zijn Hyves, YouTube en nu.nl sterk gegroeid sinds 2007, msn is inmiddels dalende bij jongeren van 12-19 jaar – maar ook Partypeeps2000, Sugababes, tmf en GeenStijl.

Hyves is vooral heel sterk gegroeid onder kinderen van zeven en acht jaar en zij doen het omdat het leuk is jezelf te presenteren met foto's en al je vriendjes en bekenden erop te zetten. Toch houdt ook dit weer niet stand, want in de hogere leeftijden zien we nu juist weer dat Hyves moet plaatsmaken voor Facebook, wat ongeveer hetzelfde doet, maar wel geschikter is voor internationale contacten. Het belangrijkst om je je te realiseren is dat internet vooral gebruikt wordt om met elkaar te communiceren en waar je leert met elkaar om te gaan. 'Op internet kun je dan oefenen, met wat je wel kan zeggen en wat niet,' zei een meisje van acht jaar in het IOVI-onderzoek van SARV.

Dat je veel kunt leren van internet, dat je er veel op kunt ontdekken, staat nog steeds niet in verhouding met de populairste activiteit van jonge kinderen: buiten spelen. 'Als ik me verveel ga ik internetten,' zei een negenjarig meisje daarover. Op de vraag: internetten jullie veel? antwoordden de veertienjarigen: 'Redelijk veel toch wel, gister wel 2,5 uur!' De jongere kinderen gaven als antwoord op dezelfde vraag: 'Ja heel veel! Gister wel een uur!' Op Hyves je vriendjes ontmoeten is best leuk, maar met name als je ze niet in het echt mag ontmoeten, want met elkaar spelen is en blijft toch het allerleukst. Het grote voordeel van internet is dat je er zelf kunt bepalen wat je erop doet, je kunt je eigen kleurplaten kiezen, je kunt zelf bepalen welke spelletjes je binnen de range aan spelletjes die je mag spelen, speelt en hoe lang en in welk tempo. Je bent zelf in control, als je na tien minuten alles gedaan hebt wat je zou willen doen, dan is het ook klaar. En dan kun je weer buiten spelen, in een wereld die nooit klaar is.

In control zijn

'Het is zo vreemd,' zegt Kees. Hij geeft zijn hele leven lang al les aan kinderen en jongeren in zijn grote passie: gitaarspelen. Hij doet dat op een muziekschool, maar ook gewoon thuis en heeft in de afgelopen jaren al heel wat kinderen in zijn lessen gehad. 'Vroeger als ik begon met lesgeven aan kinderen, dan hadden ze hooguit eens een gitaar in de handen gehad, maar konden ze er helemaal nog niets mee. De gitaar leren vasthouden, je vingers positioneren, aanraken en vasthouden van de snaren, simpele akkoorden, daar startten we mee. Maar nu zie ik sinds een aantal jaren steeds meer kinderen die bij mij op les komen, voor het eerst, en dan al gitaar kunnen spelen. Kinderen van tien tot twaalf die op het niveau van een zestienjarige spelen, en dan bij mij op les komen omdat ze beter willen leren spelen dan dat ze al doen. Niet dat ze al ergens anders les hebben gehad, ze hebben het zichzelf geleerd.'

Internet is er niet alleen om spelletjes te doen, maar ook om een brandende nieuwsgierigheid te vervullen. En kinderen kunnen o zo nieuwsgierig zijn. De informatie die op internet terechtkomt, is allang niet meer alleen maar droge kost, teksten, boeken, artikelen. Internet bestaat uit individuen die vanuit een bepaalde passie het web vullen met kennis. Het leuke van gepassioneerde mensen is dat ze hun passie zo fantastisch vinden, dat ze die graag met iedereen willen delen. Iedereen die weleens tot vervelens toe heeft moeten luisteren naar een uiteenzetting over bijvoorbeeld vliegvissen of auto's, weet waar we het over hebben. Mensen die gepassioneerd zijn praten het liefste de hele dag over hun favoriete onderwerp en worden nog het meest gelukkig als er anderen zijn die ook hun passie beleven. Op internet kan dat, je kunt daar mensen vinden die hetzelfde leuk vinden als jijzelf, die boos kunnen worden over dezelfde thema's, die hobby's hebben net als jij. En die hun kennis daarvan overdragen aan anderen.

… want ik word geholpen door anderen

Toen internet nog vooral uit woorden en af en toe wat plaatjes bestond, was de overtuigingskracht ervan nog niet enorm groot. De echte fans hadden daar uiteraard geen last van, maar een grote groep nieuwsgierige mensen kennis te laten maken met jouw passie en ze ervan te overtuigen het eens te gaan proberen, dat lukte nog niet zo goed. Tot YouTube. Kinderen en jongeren, die per definitie nieuwsgierig zijn en graag iets nieuws willen proberen hebben op YouTube een middel gevonden waarin ze nieuwe passies kunnen ontdekken en er van alles over kunnen leren. Als je zoekt op 'How to + onderwerp' zie je het al. Gitaarles, pianoles, het in elkaar zetten van allerlei soorten elektronica, het maken van je eigen vliegvisvliegen – je kunt het zo gek niet bedenken of iemand heeft serieus tijd besteed om aan jou, mogelijk geïnteresseerde en potentiële medefanaat, alles uit te leggen wat er uit te leggen valt. Deze mensen zijn hier zo serieus over, dat ze hele series lessen maken, met een volgorde in moeilijkheidsgraad (les 1: hoe speel je een toonladder) of per onderwerp (hoe speel je dit nummer van Metallica, de bal hoog houden, deze *boss* verslaan in dit spel).

David, die al dertig jaar lesgeeft aan jonge voetballertjes ziet hetzelfde als Kees de gitaarleraar. 'Jongetjes van tien, twaalf jaar komen bij mij op training en dan zitten ze al op het niveau van een vijftien-, zestienjarige. Ik snapte daar eerst niets van, totdat ik erachter kwam dat ze uren en dagen aan het oefenen zijn om bepaalde trucs van profvoetballers na te spelen. Ze kunnen de scène contant opnieuw afspelen om te kijken hoe die en die dat ook alweer deed, en daarna weer naar buiten om het in het echt uit te proberen.'

Mijn eigen school met les wanneer en van wie ik wil

Toen kennis vastzat in de hoofden van mensen en in boeken en bibliotheken was het logisch dat kennis werd overgedragen op een vaste tijd en een vaste plek: thuis kreeg je alle kennis en het inzicht in het leven van je ouders, op school en op je werk die van de docenten en je baas. Wat je leerde, dat wat voor jou beschikbaar werd gemaakt om te leren, werd bepaald door anderen, door je ouders, door die leraren. In een bepaald tempo en in een bepaalde volgorde kreeg je stukje bij beetje kennis over bepaalde onderwerpen binnen. Mocht je erg leergierig zijn, dan ging je naar de bibliotheek om meer kennis op te doen, of je neusde in de encyclopedie – als je ouders die tenminste konden betalen. Kranten, radio en tv deden dan de rest, maar daar hield het dan wel mee op. En ook daar bepaalde een groep mensen, journalisten, regisseurs, artsen, dominees, voor jou wat zij vonden dat jij moest weten.

Toegang tot kennis was in feite een gecontroleerd proces, waarbij je door middel van je diploma's kon laten zien aan anderen dat je je die kennis had eigengemaakt. En nu gaat die vlieger niet meer op, want de kennis die in alle hoofden van die miljoenen mensen zit, vindt nu zijn weg via internet naar de hoofden van al die anderen die weleens willen weten hoe dat nu zit, met die gitaar of met dat motorblok. In plaats van dat de plek (school bijvoorbeeld of de bibliotheek) bepaalt wat er geleerd wordt, bepaalt de persoon dat nu zelf. De overdragers bepalen vanuit hun eigen passie wat ze willen vertellen en de ontvangers vanuit hun eigen passie wat ze willen weten. En in plaats van dat het tempo wordt bepaald door de overdrager, wordt het bepaald door de ontvanger: hoe meer hoe beter. Het grappige is dat als je echt geïnteresseerd bent, je dan niet genoeg kunt weten, je wilt altijd meer en gedetailleerdere informatie. Hobbytijdschriften weten dit al veel langer, die weten dat kinderen en jongeren heel veel willen weten van hun favoriete onderwerp, of dat nu een knappe acteur of een goede voetballer is, of games of elektronica. Maar ook die tijdschriften kiezen hun onderwerpen, en niet de lezer. In feite zitten onze kinderen en jongeren niet alleen op een school van onze keuze, zij volgen daarnaast ook onderwijs van hun eigen keuze en vormen daarmee hun eigen educatie.

Internetopvoeding

Alle voordelen ten spijt, het neemt niet weg dat de meeste ouders wel heel bewust bezig zijn met de internetopvoeding van hun kinderen. 'Voor computeren in het algemeen en voor internetkennis geven ouders zichzelf een ruime 7 als rapportcijfer,' aldus *Mijn Kind Online*. Ouders van kinderen van 2-12 jaar zijn meer bezig met wat internet kan bijdragen aan de ontwikkeling van hun kind, dan met de mogelijke risico's. Een derde van de ouders zegt bang te zijn dat hun kind achterop raakt als het niet vroeg leert omgaan met internet. En het nut van internet is er: het kunnen leren, nieuwe vrienden maken, sociale vaardigheden aanleren, het kan allemaal. Toch zijn er ook gevaren en die onderkennen ouders ook, zoals foute mensen waar kinderen mee in contact kunnen komen, sluikreclame, ongeschikte websites en dwangmatig computergebruik. *Mijn Kind Online* heeft in antwoord hierop een browser ontwikkeld, MyBee, waarmee je als ouder een account kunt aanmaken voor je kind en van waaruit het kind kan surfen. MyBee checkt bij elke opgeroepen website de leeftijd van het kind en kan eventueel een website door de ouder laten evalueren op geschiktheid voor het kind. Een mooi initiatief en het werkt dan ook goed, behalve dat je er niet compleet op moet vertrouwen.

Een van de ongewenste content die MyBee zegt te willen filteren is commerciële informatie, maar zolang bijvoorbeeld Nickelodeon of Jetix wordt toegelaten, krijgt het kind toch die commerciële info te zien. Bij het openen van de website via Mybee.nl popte gelijk de Unox-commercial de Knaksboot op. Deze commerciële actie is volledig gericht op kinderen, met spelletjes en kleurplaten die het kind zelf kan samenstellen, waarbij er extra items voor de kleurplaat verdiend kunnen worden door de actiecode in te voeren die je kunt vinden, jawel, op het etiket van de blikken knakworstjes. Of zoals het in de informatie voor ouders gesteld is: 'Deze site is bedoeld om kinderen tussen de zeven en twaalf jaar te vermaken en hun verbeelding te prikkelen. Door de content die we aanbieden, zoals games, kleurplaten en knutselmaterialen kunnen kinderen spelenderwijs de wereld achter de knakworstjes van Unox ontdekken. Alle Suze&Thomas-producten bevatten het "Ik kies bewust"-logo. Dat betekent dat deze knakworstjes een verantwoorde keuze zijn. Via deze website worden geen producten verkocht. De website is alleen bedoeld om kinderen avonturen te laten beleven met Suze, Thomas en scheepshond Piraat.'

O jee, goh echt? Hoe naïef denkt Unox dat we zijn met zijn allen? Zolang het de intentie blijft van commerciële bedrijven om geld te verdienen aan of via kinderen, blijft het opletten als ouder met je kind op internet. Kinderen scrollen niet, die klikken op alles wat interessant lijkt. En dat geldt ook voor reclame, want voor kinderen tot een jaartje of zes is reclame niet te onderscheiden van daadwerkelijke content.

Oneindige transparantie

Een ander heel interessant aspect van internet is dat er nu een generatie kinderen ontstaat die vanaf het moment van conceptie een digitaal leven krijgt dat volledig gedocumenteerd is. Vanaf de

3D-echo, tot de geboorte tot de duizenden foto's van het dagje uit naar de Efteling, kinderen kunnen bij het ouder worden hun hele leven terugzien. Flink wat kinderen hebben bij de geboorte al een eigen website, die gevuld wordt door ons, hun ouders. Stel je voor: ze worden groot en volwassen, krijgen zelf kinderen, die kunnen zien hoe hun vader of moeder in de baarmoeder lag van oma, hoe ze op de kleuterschool eruitzagen, hoe ze zich misdragen hebben op schoolfeestjes en hun studietijd, noem maar op. Geen geheimen meer voor ouders, we geven kinderen een extra wapen in handen om ons mee te confronteren met beslissingen die we nemen. Als onze kinderen later hun kinderen willen verbieden uit te gaan op een te jonge leeftijd – dan doen ze er nu goed aan al die foto's en filmpjes van hun eigen feesten niet op YouTube te zetten. Want eenmaal op internet, is er nooit meer af, daar zullen we achterkomen de komende jaren. Maar ook wordt het lastiger onze kinderen te beschermen tegen de echte dingen des levens, overlijden bijvoorbeeld. Konden we vroeger nog zeggen: je nichtje is een beetje ziek, dus we gaan maar niet langs – en speelden we vrolijk verder, nu vertelt datzelfde nichtje op Hyves over het verloop van haar strijd tegen kanker. We kunnen er niet meer omheen, alles wordt transparanter, alles wordt duidelijker: we moeten wel eerlijker zijn.

Ja, we voeden anders op, omdat dat nodig is

De heftigheid waarmee de debatten over opvoeding, zowel
op internet als in de kranten, worden gevoerd, is tekenend.
De grote boosdoener is de veranderde manier waarop
Nederlandse ouders opvoeden. Thomas Rosenboom: 'Een jaar
of dertig geleden werd het ineens burgerlijk gevonden om
met je mond dicht te eten. Vrijgevochten ouders hebben hun
kinderen dat dus niet meer aangeleerd. [...] En ze willen hun
kinderen niet remmen in hun natuurlijke nieuwsgierigheid en
onderzoekingsdrang. Ouders zijn opgehouden hun kinderen te
beperken. Ze moedigen juist hun kinderen aan om te rennen en
zich altijd maar te uiten.'

'Zich altijd maar te uiten'. Ah, wat klinkt dat toch negatief.
Toch is het niet voor niets dat ouders van nu graag horen hoe
hun kinderen denken en voelen. Veel (groot)ouders hebben
die kans niet gehad in hun eigen opvoeding, omdat zij zijn
grootgebracht vanuit een totaal andere visie dan waarmee we
nu onze kinderen willen grootbrengen. Janneke Wubs, auteur
van *Luisteren naar deskundigen*[10], zegt hierover dat ouders voor
1970 andere opvoedadviezen kregen van deskundigen dan
huidige ouders: 'Met opgeheven vinger wijzen de deskundigen
de ouders erop hoe ze hun kind horen op te voeden. Het doel
is om kinderen te begeleiden op weg naar een bestaan als
waardevol lid van de samenleving. Hierover zijn de meeste auteurs
het eens, ongeacht hun geloof of levensovertuiging. Dat ouders
het soms moeilijk hebben met het bereiken van dit doel, maakt
niet uit. Zelfopoffering hoort bij opvoeden.'

Ook in die tijd vertrouwden deskundigen er niet op dat ouders
in staat waren hun kinderen goed op te voeden, wat dat betreft
niets nieuws onder de zon. Opvoeden werd namelijk gezien

als een zware taak, een serieuze bezigheid met serieuze consequenties als je het fout doet, aldus de deskundigen, en ouders waren niet de beste personen om te vertrouwen dit goed te doen. Ouders moesten voortdurend aan zichzelf werken en een onvoorwaardelijke opofferingsgezindheid tonen... nou ja, de moeders dan.

Laat maar huilen

Moeders waren het grootste goed, maar ook het grootste risico in de opvoeding: moederliefde was het belangrijkst in het leven van het opgroeiende kind, maar deze moederliefde maakte moeder ook zwak en gevoelig voor de eisen van het kind, eisen waaraan het niet tegemoet mocht komen. Zo moesten baby's opgroeien in een klimaat van rust, reinheid en regelmaat. Moeders mochten vooral hun baby niet uit de wieg halen als het kind huilde, dat was namelijk toegeven aan de grillen van de baby en een van de ergste vormen van verwennerij. Als er dan ook later problemen in het gezin ontstonden lag dat vooral aan dit soort fouten die al vroeg gemaakt werden. Ook toen al verwijten alom.

Kinderen moesten namelijk al heel vroeg leren dat ze niets te willen hadden, maar vooral moesten kunnen *nalaten*. Hoe zwaar en hardvochtig dit ook klinkt, in die tijd was het volstrekt logisch en paste deze mening over opvoeden in het algemene plaatje van de toenmalige maatschappij. In die tijd trouwde je gemiddeld rond je twintigste en kreeg je kinderen rond je 23e. Heel jonge mensen, in onze ogen, maakten een oorlog mee, en kregen na die oorlog massaal kinderen. Deze mensen hadden voor de oorlog als kind de zware depressie van de jaren dertig meegemaakt, groeiden op met de verhalen over de

Eerste Wereldoorlog, en maakten op een leeftijd dat wij lekker konden puberen en naar school konden gaan, een oorlog mee – oorlog, angst, honger, afzien. Na de oorlog, toen eindelijk het normale leven kon beginnen, kregen ze kinderen. Is het vreemd dat deze gehele generatie in het teken van opoffering en maatschappelijke verantwoordelijkheid staat? Ze wisten niet beter dan dat jijzelf ondergeschikt was aan de maatschappij, zij kenden echte honger, hadden geleerd om zuinig te zijn en voorzichtig, zij hadden echte ellende meegemaakt en voedden hun kinderen op met de idealen die hieruit voorkwamen: zuinigheid, soberheid, hard werken, luisteren naar je meerdere en andere vormen van autoriteit, je plaats weten, niet meer eisen dan dat je verdient, noem maar op. *Geen oog voor het individu.* In de grote gezinnen van die tijd was weinig aandacht voor het individu. Zoals Maria, 60, vertelde over haar jeugd met vier zussen en een broertje: 'Mijn moeder zette 's avonds altijd een enorme pan met eten op tafel. Wij doken daar dan met zijn allen bovenop en eten maar, schransen eigenlijk. Mijn zussen en ik waren zo fanatiek en het was zo'n leven en lawaai aan tafel, dat niemand doorhad dat mijn jongere zusje, de liefste van ons allemaal, te bescheiden wachtte totdat ze ook wat te eten kreeg. Ze kreeg dus altijd te weinig, maar zij zei niets en niemand had het door. Totdat ze ziek werd en de dokter tot enorme schaamte van mijn moeder constateerde dat ze ondervoed was.'

José, 65, vertelde: 'Wij waren thuis met zijn twaalven, mijn ouders en mijn broertjes en zusjes. Omdat mijn moeder het veel te druk had en ik de oudste dochter was, moest ik samen met mijn twee jongere zusjes passen op mijn kleine broertje. Ik was toen negen en mijn broertje drie jaar. Ik heb daar trauma's aan overgehouden, want als mijn broertje zijn zin niet kreeg, dan hield hij net zolang zijn adem in tot hij flauwviel. Dan liep hij helemaal blauw aan en op een gegeven moment viel hij uit zijn wandelwagen. Ik ben een paar keer zo in paniek geraakt! Maar mijn moeder had gewoon geen tijd voor ons allemaal, dus ik moest toch blijven oppassen.'

Opvoeding kon dan ook niet te veel toegespitst worden op de behoeften van de persoontjes zelf. Als de kinderen maar deden wat hun ouders zeiden, deden zoals de waarden en normen van die tijd dicteerden en opgroeiden tot maatschappelijk goed functionerende volwassenen, dan had je je werk goed gedaan. Ouders gunden hun kinderen een goede baan, of een opleiding. Met name dit laatste, een opleiding, was iets wat velen van hen niet gegund was doordat ze al jong van school af moesten om te werken. De oorlog doorbrak alles, zette alles stop en ouders uit die tijd wilden dat het hun kinderen beter zou gaan. Ouders van nu willen hetzelfde, alleen ging het om andere idealen: een goede baan zodat je altijd te eten had en je geen zorgen hoefde te maken over het voortbestaan van je gezin; aanzien binnen de groep, want de groep was belangrijk; een opleiding zodat je die goede baan zou kunnen krijgen. Woorden als zelfontplooiing en geluk werden niet in de mond genomen door onze hardwerkende grootouders.

Vrijheid!

'Wij mochten vroeger helemaal niets,' vertelde Wilma, 62. 'Dus hingen we tot grote ellende van mijn ouders in koffieshops. Daar werd trouwens alleen koffie geschonken, en zo achteraf was het eigenlijk braver dan braaf, maar onze ouders vonden het schandalig. En jongens, o die vonden we natuurlijk erg interessant, maar we mochten alleen met katholieke jongens omgaan. Dus werd ik verliefd op een protestante jongen en van het een kwam het ander. Op mijn achttiende moest ik met hem trouwen. Een enorme schande was dat. Op mijn trouwfoto's zie je ook onze ouders op afstand van elkaar zitten, strakke gezichten. Het was geen blijde dag toen. "Twee geloven op een kussen, daar slaapt de duivel tussen," zei mijn vader steeds. Het heeft jaren geduurd voordat ons huwelijk werd geaccepteerd door beide kanten van de familie. Raar eigenlijk, nu is het de normaalste zaak van de wereld.'

De kinderen uit deze gezinnen werden groot en braken los uit dit benauwende systeem waarin alles moest en niets mocht. Er was geen enkele ruimte voor individualiteit, de waarden waren soberheid en zuinigheid. Het was een verstikkende tijd en jongeren groeiden massaal op met de vraag: wie ben ik? Als ik niet gedicteerd wil worden door mijn ouders en door de maatschappij, wie ben ik dan? In de wereldwijde beweging die ontstond gooiden jongeren alle ketens van zich af, schudden ze de waarden en normen van de volwassen wereld van zich af en gingen op zoek naar zichzelf. Vrijheid! Vrijheid om te kiezen voor jezelf, om je eigen partner te kiezen, je eigen geloof, je eigen ideologie, je eigen sport of hobby, je eigen seksuele voorkeur. Vrijheid voor jezelf, voor jou als persoon in plaats van een aangepaste schakel te zijn in het grotere geheel van de maatschappij. Vrijheid voor jezelf als moeder, om je kinderen te kunnen opvoeden met wat jij zelf zo graag had willen hebben: ruimte voor jezelf als individu.

Dr. Spock

En daar kwam Dr. Spock. Zijn meer dan vierhonderd pagina's tellende *Baby- en kinderverzorging en opvoeding* is met afstand het meest verkochte opvoedboek ooit. Het verscheen in Nederland voor het eerst in 1950 en is ondanks vele herdrukken nauwelijks veranderd van inhoud en toonzetting.

De Amerikaanse kinderarts Benjamin Spock was de eerste die begrip had voor de emoties van ouders en die daar heel vriendelijk over schreef. Hij stelde in zijn eerste hoofdstuk 'Heb vertrouwen in uzelf. U weet meer dan u denkt,' en was daarmee zijn tijd hier in Nederland ver vooruit. Hij vertelde ouders dat ze flexibel mochten zijn in hun methodes, dat ze konden kijken naar hun eigen kinderen in plaats van een dictaat te volgen. Baby's mochten wel uit de wieg gehaald worden als ze huilden, omdat in zijn visie baby's door aandacht, liefde en knuffelen gezonder en gelukkiger zouden worden.

Moeilijke jaren tachtig

Ondanks de *love*, *peace* en *happiness* die de ontsnappende kinderen wilden, werd de wereld er alleen maar grimmiger op voor hun eigen kinderen. Hun eigen kinderen die opgroeiden in de jaren tachtig, hebben het niet makkelijk gehad. De omgeving was dan wel niet die verstikkende van de jaren vijftig, echt gezellig was het in die tijd ook niet. De jaren tachtig: behalve Michael Jackson was er ook die economische depressie met hoge werkloosheid, aids, het afbrokkelen van de scheiding tussen oost en west, het einde van de apartheid in Zuid-Afrika. De grote tegenstellingen vielen weg (weg makkelijke boosdoener in de films) en daarmee ook alle zekerheden, maar er was nog niets nieuws voor in de plaats gekomen. De wereld werd complexer, en ook de gezinnen kregen het zwaarder. De kinderen van de jaren tachtig werden voor het eerst geconfronteerd met scheidende ouders en al snel kende iedereen wel iemand van wie de ouders waren gescheiden. Moeders gingen steeds meer werken, maar voor de opvang was nog weinig geregeld, waardoor het fenomeen 'sleutelkind' ontstond. En problemen waren er. Scheidingen, ruzies, jeugdcriminaliteit, werkloosheid als gevolg van de economische recessie. Er kwam steeds minder begrip voor de ouders en de roep om regels kwam terug. Liefde alleen was niet meer genoeg.

Nihilisme en cynisme

De grote hit op muziekgebied in Nederland was Doe Maar, vooral met het nummer *Als de bom valt*. Het was een perfecte beschrijving van de sfeer van die tijd: nihilisme, waar gaat het eigenlijk allemaal om, wat heeft het voor zin, want wat als de bom valt? Wat is dan echt belangrijk? Studie, geld of jij, mijn geliefde? Waar zijn nog onze idealen? Wie of wat is nu eigenlijk écht echt? Je kon immers zomaar een persoonlijkheid bij elkaar kopen en gewoon doen alsof? Hieruit spreekt de teleurstelling dat niets is wat het is, dat niets echt is. Generatie X zat in een zware identiteitscrisis en koos dan maar voor geld en spullen.

Die cynische levenswijze verdween toen generatie X ouders werd. Kinderen zijn onschuldig en onbevangen en het is de moeite waard daar echt je best voor te doen. Er is niets zo authentiek, zo echt, als een klein kind. Daar kun je volledig voor gaan, zonder reserves. Kinderen verdienen respect, simpelweg omdat het unieke individuen zijn, net als hun ouders, dus krijgen ze dat van hun ouders. En met de komst van kinderen schudden de X'ers het teveel aan relativisme van zich af en besloten het beter te doen dan hun eigen ouders en de manier waarop zij zelf waren opgevoed. Vanuit gezinnen waarbij het kind en niet het gezin zelf centraal staat.

Gezinnen van nu

Een gezin van nu kan bestaan in allerlei vormen: van een ouder, twee ouders, of met stiefouders. Nooit tevoren werden zo veel kinderen op jonge leeftijd geconfronteerd met scheidingen. Was het vroeger nog zo dat óf de moeder óf de vader de zorg over de kinderen kreeg, waarbij een van beide partners blij mocht zijn als hij of zij de kinderen in het weekend mocht zien, nu is het met de introductie van het co-ouderschap de normaalste zaak van de wereld dat kinderen de ene week bij de een zijn en de andere week bij de ander. Als de gescheiden ouder een nieuwe (vaak ook al gescheiden) partner treft, ontstaat de situatie dat kinderen (een deel van de week) in een samengesteld gezin terechtkomen. En dit is niet de enige manier waarop gezinnen zich uitbreiden. Ook vriendjes en vriendinnetjes nemen plaats in de familie en grootouders spelen weer een belangrijker rol dan dat ze lang hebben gedaan, door weer een plek in te nemen in het gezin zoals dat in vorige eeuwen ook ging. De *extended family* is geboren. Maar hoe het gezin er ook uitziet, altijd is het die plek die we creëren voor onszelf en onze kinderen om hen een veilige thuishaven te geven van waaruit ze de wereld kunnen ontdekken.

Overlegcultuur

Voor ons als ouders zijn kinderen echte individuen geworden, waar je met respect mee omgaat. Respect betekent: niet dwingend je eigen regels opleggen omdat jij toevallig de baas bent, maar door middel van overleg en gesprekken komen tot een gezamenlijk resultaat. Elke stem telt mee, want de stemmen komen van volwaardige individuen, die alleen toevallig nog niet volwassen zijn. Bovendien weten ouders nog goed hoe moeilijk het kon zijn, hoe de wereld tegen je kon zijn, hoe moeilijk het was een eigen weg te vinden. Ouders van nu willen dan ook graag het allerbeste voor hun kinderen.

Maar met deze manier van opvoeden kies je niet voor de makkelijkste weg. Ouders kunnen overweldigd raken door de eisen van het gezin en hun kinderen. De overlegcultuur binnen gezinnen levert ook spanningen op. Jesper Juul verwoordt het in *Gezinsleven* als volgt: 'Voor ouders van nu, die een antwoord moeten proberen te geven aan de twaalfjarige die een piercing in haar navel wil, haar gsm-abonnement betaald wil hebben of dronken thuiskomt van een feest, is opvoeding veel complexer. De verwijzing naar wat "men" doet of niet, is niet langer staande te houden: het kind hoeft maar een stuk of tien sms'jes met haar vriendinnetjes uit te wisselen om te kunnen bewijzen dat anderen dat allemaal wel doen en mogen doen. Ouders kunnen niet anders dan in hun omgeving te rade gaan. Ze moeten met ouders praten die in dezelfde situatie verkeren, deskundigen raadplegen, de wijkverpleegkundige, de kleuterleidster of de schoolpsycholoog en dan nog zullen onzekerheid en twijfel niet verdwenen zijn, want ook deskundigen zijn het niet altijd met elkaar eens.'

'Overleg vreet tijd,' zegt Christien Brinkgreve in *Vroeg mondig, Laat volwassen*. 'Zo kunnen er flinke spanningen bestaan tussen verschillende ontwikkelingen en idealen: ouders willen alles doen voor hun kinderen, maar ze hebben ook iets anders te doen. Ze hebben minder kinderen maar deze vragen meer aandacht. De vrijwillig en bewust aanvaarde ouderplicht om de belangen van het kind voorop te stellen kan in conflict komen met de "rechten" van de ouders op een eigen leven, waarin naast werk plaats moet zijn voor zelfontplooiing.'

Gelukkige jeugd

Hoe dan ook, kinderen en jongeren voelen zich over het algemeen heel prettig binnen de gezinnen. Het overgrote deel van jongeren ziet zichzelf als een echt onderdeel van het gezin en vindt de relatie met hun ouders constructief en harmonieus. Ouders zijn voor het grootste deel van onze kinderen en jongeren de belangrijkste personen in hun leven. Dit komt keer op keer uit diverse onderzoeken naar voren.

Deze manier van opvoeden, waarbij de nadruk ligt op begrip, gelijkwaardigheid en overleg heeft geleid tot een andere relatie tussen ouders en kinderen. In plaats van dat de kinderen tegenover hun ouders moeten staan om wat ruimte te krijgen voor hun individualiteit, lijkt het erop dat er ruimte genoeg is om daarmee aan de slag te kunnen. Kinderen en ouders die mét elkaar leven en werken in plaats van naast of tegenover elkaar. Je ziet dan ook steeds minder jongeren rebelleren tegen het thuisfront. Kinderen en jongeren zijn gelukkig thuis. En dat is zo veel waard dat ouders niet van plan zijn deze opvoedstijl te veranderen, terug te keren naar de autoritaire opvoedstijl van voorheen. Kinderen zijn dan misschien nog niet 'af', het zijn geen minivolwassenen en ze moeten nog een hoop leren, ouders voelen diep van binnen dat ook kinderen recht hebben op respect, simpelweg om wie ze zijn.

Een andere tijd vergt een andere opvoeding

Het klopt dus: we zijn anders gaan opvoeden – en terecht. De maatschappij in dit millennium is volstrekt anders dan die van vlak na de oorlog. Onze kinderen hebben andere kennis, kunde en vaardigheden nodig dan kinderen die geboren zijn in de geboortegolf van na de oorlog, de babyboomers. Elke tijd kent zijn eigen opvoedstijl, en in het licht van de maatschappij uit die tijd is het goed te begrijpen waarom bepaalde opvoedkundige keuzes gemaakt werden. Het gaat immers om het einddoel: een ouder leeft in de maatschappij zoals die is op dat moment, ziet de kansen en de bedreigingen zoals die zich op dat moment voordoen – en wil zijn kinderen daar op de beste manier op voorbereiden. Aangezien niemand weet hoe de toekomst eruitziet, kun je daar alleen maar naar raden en je kinderen uitrusten met gereedschap om het in het hier en nu goed te doen. Dat dat hier en nu verandert tijdens het leven van die kinderen staat buiten kijf, maar hoe dan precies blijft koffiedik kijken. Dus als ouders in de jaren vijftig keuzes maakten, dan zijn dat andere keuzes dan die dit jaar worden gemaakt door ouders, en dat is logisch. Een roep om de goede oude tijd verdwijnt snel als je beter gaat kijken naar hoe die goede oude tijd er eigenlijk uitzag. In feite zou een deel van de maatschappij graag willen dat kinderen zich gedragen als een kind uit de jaren vijftig, zonder de omstandigheden en de maatschappij van die jaren vijftig terug te willen.

7

Ik ben het gelukkigste kind dat er bestaat! (nee ik, nee ik, nee ik!)

'*Why are Dutch children so happy?*' vraagt Kathryn Wescott zich in 2007 af op de BBC News website. In het Unicef-rapport *An overview of child well-being in rich countries* staat Nederland op nummer één van de ranglijst: '*The Netherlands heads the table of overall child well-being, ranking in the top* 10 *for all six dimensions of child well-being covered in the report.*' Niet alleen scoren we hoog op de objectieve criteria, zoals gezondheid, inkomen en onderwijs, maar ook op de subjectieve criteria. Vind je het leuk op school, hoeveel tijd praten jij en je ouders met elkaar, voel je eenzaam of een buitenstaander. Ook op dat type vragen gaven de Nederlandse kinderen vaak positieve antwoorden. Op de 'life satisfaction ladder' domineert Nederland de lijst met meer dan 90 procent van de kinderen die hun leven een cijfer boven de zes geven. 'Logisch,' zegt Paul van Geert, hoogleraar Ontwikkelingspsychologie aan de Rijksuniversiteit Groningen in antwoord op de vraag van Kathryn, 'een van de sterke kanten van het Nederlandse gezin is dat het erg open en communicatief is. Relaties tussen ouders en kinderen zijn meestal goed en ze kunnen bijna over alles wel praten met elkaar.'

Wat een compliment! Staan we daar eigenlijk wel bij stil? We zijn er zo aan gewend geraakt dat er altijd wel iets te zeuren is over de jeugd, en dat wij altijd wel iets te zeuren hadden over onze ouders. En dan vragen we aan onze eigen kinderen hoe zij zich bij ons voelen... en ze vinden het leuk! Nu wisten we dat eigenlijk stiekem zelf al wel. Onze kinderen vinden het fijn thuis, ook al hebben we conflicten met elkaar, ook al hebben we het druk, ook al vragen we ons soms (of heel vaak) af of we het wel goed doen. En in de drukte van het moment vergeten we soms dat het in grote lijnen heel goed gaat met onze jeugd. Doemscenario's over dat de jeugd van tegenwoordig steeds meer drinkt, steeds meer drugs gebruikt en op steeds jongere leeftijd seks heeft, zijn precies wat ze zijn: doemscenario's, geen werkelijkheid. Nederlandse jeugd scoort op al deze onderdelen gemiddeld of zit in de top 3 van weinig risicogedrag. 'De trend van jonge drinkers is gekeerd', zo zegt het Trimbos-instituut in het vierjaarlijkse onderzoek onder tienduizend scholieren. Ook roken jongeren steeds minder. Ongeveer 7 procent van alle scholieren rookt dagelijks. Dat is het geringste aantal sinds 1988. Hetzelfde geldt voor softdrugs, een op de zes scholieren heeft weleens geblowd, maar van de harddrugs blijven bijna alle jongeren af.

Ik woon graag thuis

Als je dat zo leest, zou je onze lieve en brave jongeren bijna saai gaan vinden. Weinig risicogedrag, weinig rebellie, weinig actie. 'Mijn zoon woont nog steeds thuis. Ik krijg hem maar niet zo ver dat hij op kamers gaat. Hij zegt dat hij het veel te gezellig vindt thuis en dat op zichzelf wonen te duur is. Nu vind ik het ook heel gezellig, maar ik was op zijn leeftijd allang vertrokken,' aldus een moeder tijdens een van onze lezingen. En dat horen we vaker. Jongeren blijven langer thuis wonen, ook studenten. 'Tolerante ouders en ruime huizen houden jongeren thuis,' aldus *de Volkskrant* online van 16 januari 2009. 'Slechts tien procent van alle jongeren gaat rond het achttiende jaar het huis uit, blijkt uit cijfers van het Centraal Bureau voor de Statistiek. De helft van alle meisjes is rond haar 21e jaar vertrokken. De jongens zijn wat langzamer, pas op 23-jarige leeftijd woont de helft zelfstandig. Rond het dertigste levensjaar is praktisch iedereen weg bij de ouders. De enkeling die dan nog thuis woont, gaat waarschijnlijk nooit meer weg.'

Iew! Moesten wij niet aan denken, zo lang thuis blijven, nu is dat dus anders. Maar ja, denk je eens in in hun positie. Weinig conflict, grote eigen kamers, eigen tv en computer, weinig kosten, waarom zou je dan op kamers gaan? Op kamers gaan betekent je eigen boodschappen doen, koken, afwassen, schoonmaken, niemand die op je let zijn, alleen, duur... Leidde ditzelfde lijstje er in onze tijd toe dat we juist heel hard het huis uit renden (jippie, je eigen plek, lekker zelfstandig!), dit lijstje leidt er nu toe dat onze jongeren liever thuis blijven (bah, een eigen plek, helemaal alleen). Als je aan volwassenen vraagt waarom ze denken dat dit zo is, zeggen ze dat het komt door gemakzucht of – en dan worden de toppen van wijsvinger en duim tegen elkaar aan gewreven – 'omdat het lekker goedkoop is'.

Het is gewoon gezellig

Nu is onze jeugd wel braaf maar niet heilig, dus zullen deze overwegingen zeker ook gelden. Een eigen huis is duur en een leuke inrichting ook. Het is nu eenmaal heel fijn dat als je studeert en het enorm druk hebt, dat je je dan niet ook nog eens druk hoeft te maken over het huishouden of de boodschappen. Als je het hen vraagt, dan zul je zeker deze antwoorden krijgen. Maar je hoort er altijd nog een: het is zo gezellig thuis. Voordat we onszelf nu op de borst kloppen omdat wij een gezellige sfeer creëren – ook al doen we dat – gezelligheid betekent voor jongeren iets anders dan wat wij erbij denken. Wanneer verzuchten wij nu, goh jongens, wat gezellig? Dat is bijvoorbeeld als we allemaal aan tafel zitten, lekker eten en een goed gesprek hebben, 's avonds op de bank met een wijntje nog even de dag bespreken, of met vriendinnen lunchen en dan gezellig beppen met elkaar.

Veel van de dingen die wij gezellig vinden hebben te maken met contact met elkaar, met een gesprek, met mensen om wie je geeft (of gewoon heel leuk vindt), met elkaar, samen. Voor jongeren is het gezellig als iedereen kan doen wat hij of zij wil, maar dat dan wel in elkaars omgeving.

Maar dat klinkt dus helemaal niet gezellig en het ziet er ook niet gezellig uit. Zo verzuchtte een vader tegen ons: 'Dan werk ik een dag thuis, zit ik boven in mijn werkkamer, komt mijn zoon met zijn laptop bij me zitten. Hij zei dat hij zijn huiswerk ging maken, maar ging dat dus niet op zijn eigen kamer doen. Dus ik zei tegen hem: luister, ik ben aan het werk, dus ik heb geen tijd om met je te praten. Dat hoeft ook helemaal niet, zei hij. Dus ik weer: maar waarom kom je dan hier zitten? Hij: dat vind ik gezellig.' De zoon vond het gewoon gezellig, hij deed zijn huiswerk, vader aan het werk, ze hoeven niets tegen elkaar te zeggen, maar ze zijn wel samen.

Het is fijn als iedereen zichzelf mag zijn

Gezellig samen zijn betekent dat je, binnen dat gezamenlijke, jezelf moet kunnen zijn, en je eigen dingen kunt doen, met respect voor alle individuen, wie ze ook zijn. Als thuis een van de ouders het eten staat te koken, de ander de krant leest, een broertje achter zijn laptop zit, een zusje tv kijkt, dan is dat gezellig. We zijn allemaal bij elkaar, maar we doen nu waar we zelf mee bezig zijn – vanuit de wensen van ons als individu. Dit laatste is belangrijk, want gezelligheid hangt nauw samen met respect, een veelgebruikt woord onder jongeren.

Respect is een centrale waarde voor alle jongeren, maar het is niet het type respect dat wij gewend zijn. Als wij denken aan het woord respect, dan denken we vaak aan beleefdheid, aan opstaan voor ouderen, aan mensen laten uitpraten, met u aanspreken, aan luisteren, aan autoriteit. Respect is meer iets wat wij geleerd hebben te moeten geven in bepaalde situaties, aan ouderen in de tram, aan je baas op het werk, dan dat wij het terug verwachten – totdat we een bepaalde status of leeftijd hebben bereikt. Er komt een moment dat we aangesproken worden met: 'Hé, jij daar', respectloos vinden en het niet meer zo erg vinden als ze ons met u aanspreken en hun mond houden als wij aan het woord zijn. Maar dat duurt wat langer dan dat het voor onze grootouders gold.

Respect is een heet hangijzer en wat velen betreft gaat het hierop helemaal mis met onze jeugd – en dat is de schuld van ons ouders, zeggen ze er dan vaak bij. Want onze kinderen en jongeren hoeven ons niet meer met u aan te spreken, en hun docenten vaak ook niet. 'Ik ben de klas uitgezet,' snifte Marlies van veertien jaar. 'De leraar vond me brutaal want ik had *je* en *jij* tegen hem gezegd. Maar dat zeg ik ook tegen mijn ouders, ik bedoelde daar niets verkeerds mee!' Zij, en velen met haar, snappen dat dus echt niet. Allemaal respecteren ze hun ouders, of ze hen nu met jij of met u aanspreken. Marlies toonde de leraar geen disrespect, maar ging met hem om zoals ze thuis gewend was. Diezelfde omgang die thuis zorgt voor gelukkige kinderen, die open communicatie en die warme relaties, blijkt buitenshuis soms voor wrijving te zorgen.

En als je niet goed lesgeeft, dan...

Want een van de dingen die we doen met onze kinderen en jongeren, overleggen, maakt bijvoorbeeld onze leraren hoorndol. Leraren worden in de klassen voortdurend tegengesproken en moeten constant in discussie met verbaal slimme tieners. Wat hen betreft is dit tekenend voor een verval van waarden en normen en daarmee is duidelijk dat onze jeugd opgroeit voor galg en rad.

Leraren hebben het om verschillende redenen moeilijk in de klas, maar dit in hun ogen totaal gebrek aan respect maakt het alleen maar erger. Zeker als leerlingen in de klas zich niet gedragen, niet stil willen zijn, niet luisteren, niet opletten, noem maar op.

Nu is het inderdaad zo dat als leerlingen besluiten dat een leraar of lerares in hun ogen niet goed lesgeeft, zij vinden dat ze het volste recht hebben er in de klas een puinhoop van te maken.
'Kijk,' legde Ahmed van twaalf uit, 'als jij niet goed les kunt geven, als je geen orde kunt houden, dan heb je geen respect voor ons. Jij bent leraar, dus het is jouw taak te zorgen voor een goede plek voor ons om te kunnen leren. Dan moet het stil zijn, anders kunnen we niet opletten. Daar moet jij voor zorgen. En als je dat niet kunt, dan heb je geen respect voor ons. Dan betalen wij je terug met disrespect. Dan doet iedereen gewoon waar ie zin in heeft, zonder nog op jou te letten.' We kunnen je vertellen dat dit een leerzaam uurtje voor de klas was (en bij dezen dus respect voor al die docenten die dag in dag uit zo'n klas onder controle weten te houden!). Toen hun echte docent binnenkwam na dit uurtje zweten, zagen we de meester aan het werk: de klas viel stil, de leerlingen gingen recht zitten, de iPods en mobieltjes verdwenen in de tas en alle ogen waren op hem gericht. Hij keek ze allemaal indringend aan en vroeg: 'Zijn jullie wel een beetje aardig geweest voor deze mevrouw?' Je zag de blosjes optrekken. Met humor, overwicht en warmte stond hij voor de klas, en de hele klas had respect voor hem.

Respect is iets waar ieder individu recht op heeft, maar wat je in bepaalde situaties ook moet verdienen. Door iets heel goed te kunnen krijg je respect, door een authentiek iemand te zijn ook. Maar nooit als je je laat voorstaan op je titel, je leeftijd of status. Kinderen en jongeren voelen haarfijn aan wanneer heel wat eigenlijk maar weinig weet maar wel doet alsof hij heel wat is of roept: ik ben hier de baas en je doet maar wat ik zeg. Of als ze voelen dat de achterliggende intentie niet klopt en ze zich afvragen: 'Je zegt dat ik dit moet doen voor mijn bestwil, maar is het eigenlijk niet gewoon voor jouw bestwil?' In het licht van hoe we onze kinderen opvoeden is dat begrijpelijk. Verwachten wij dat onze kinderen naar ons luisteren 'omdat ik het zeg en nu verder je mond houden'? Geven wij nog als antwoord op een vraag als: 'Waarom mag ik geen tatoeage?' het antwoord: 'Daarom'? Vertellen wij niet altijd het 'waarom' en het 'voor wie' erbij? In gezamenlijkheid lossen we thuis conflicten op, praten we erover en proberen we onze kinderen op te voeden tot zelf nadenkende volwassenen.

Love me, no matter what

Misschien nog wel de belangrijkste boodschap die we onze kinderen meegeven is: het maakt niet uit wie je bent of wat je doet, wij houden toch wel van je. Onze kinderen krijgen onvoorwaardelijke liefde, en er is geen groter geschenk dat je iemand kunt geven. Vanaf het moment dat ze geboren zijn, vertellen we ze dat we van ze houden; dat we, ook al doen ze stoute dingen, we hun gedrag misschien niet lief vinden, maar dat dat niets afdoet aan hoeveel we om ze geven. En dat ze gelukkig moeten worden door in dit leven datgene te doen waar ze gelukkig van worden. Uitvissen waar je dan gelukkig van wordt, is een proces waar ouders hun kinderen maar al te graag mee willen helpen. 'Wat is je droom?' vragen we, en zoals ze vroeger alleen maar in Amerikaanse films deden, zeggen wij het nu ook: als je het maar graag wilt, dan kun je het ook. Alles is mogelijk!

Als je kinderen onvoorwaardelijke liefde geeft en ze behandelt als een persoon die niet alleen het volste recht heeft om te bestaan maar ook als een persoon die je serieus neemt, dan is het niet gek dat kinderen en jongeren zich ook zo voelen en gaan gedragen. Ze weten dat de belangrijkste mensen van deze hele wereld hen de belangrijkste personen van de hele wereld vinden – niet om wat ze doen, maar om *wie ze zijn*. We vragen onze kinderen om hun mening, of ze dat roze T-shirt aan willen of toch dat met die hartjes, wat ze op hun boterham willen, of ze nog leuke ideeën hebben voor de vakantie dit jaar – kortom, we nemen onze kleintjes serieus en we betrekken ze in het beslisproces. Niet dat we onze kinderen de dienst laten uitmaken thuis (ook al denken veel professionals dat we dat wel doen, dat onze kinderen thuis de baas zijn, maar in de praktijk valt dat nogal mee), maar we vragen wel hun mening. En als je deze zaken bij elkaar optelt – kinderen zijn goed zoals ze zijn, om wie ze zijn en hun mening telt – hoe raar vinden we het dan dat ze deze houding meenemen de klas in en later de werkvloer op? Verwachten we nu heus dat als onze kinderen op de middelbare school komen, dat ze dan plotseling klakkeloos gaan aannemen wat leraren zeggen, dat ze plotseling u gaan zeggen, dat ze plotseling niet meer verwachten *dat hun mening telt*?

Neem me serieus, ook al ben ik nog maar klein

Zo vertelde een schooldirecteur: 'Het is me al regelmatig overkomen dat plotseling de deur opengaat en een leerling naar binnen komt stormen, achterom wijzend naar de docent die er dan wat schaapachtig bijstaat. "Hij heeft me respectloos behandeld!" roept zo'n leerling dan. En wat heeft hij dan gedaan? Ach, hij heeft niet geluisterd naar haar, of haar uitgescholden, of de klas uitgezet, van die dingen.' Uitschelden, de klas uitzetten, niet luisteren, de mening van de leerling niet serieus nemen, het is maar een deel van de dingen die in het verkeerde keelgat van onze pubers schieten. Rotklusjes laten opknappen, afschepen met saai werk, beloftes doen die niet worden nagekomen, te laat komen op afspraken, het een

zeggen en het ander doen, zijn er zo nog een paar. Onze jongeren zijn veeleisend geworden...
Of is dit normaal?

Als je even niet aan hun leeftijd denkt, maar aan het feit dat het mensen zijn die serieus genomen worden vanaf het moment dat ze het levenslicht zien, dan wordt het een beetje anders. Als je kinderen en jongeren behandelt zoals jijzelf als volwassene ook behandeld wilt worden, dan is er namelijk helemaal niets aan de hand. Zoals zo vaak verwachten volwassenen iets van jongeren, dat ze zelf helemaal niet van plan zijn terug te geven: automatisch respect voor hun status als volwassene. Kinderen zijn immers kinderen, jongeren zijn jongeren en daar hoef je niet op dezelfde manier mee om te gaan als met volwassenen, toch?
Niet dus.
Zolang wij onze kinderen thuis dat respect geven zullen zij dat buitenshuis ook verwachten.

'The greatest love of all...'

Deze complete en onvoorwaardelijke liefde, het positief benaderen van onze kinderen, helpen, oplossen, klaarstomen, behoeden voor pijn, het alles geven... Hierdoor zien we dat onze kinderen een gezond ego krijgen waardoor ze met veel vertrouwen de wereld in kijken. Als ouder hebben we die onvoorwaardelijke liefde misschien niet altijd gehad, maar we zijn ervan overtuigd dat het noodzakelijk is voor een kind om goed te kunnen opgroeien. Het is dan ook het heersende thema in alle zelfhulpboeken: als je niet genoeg houdt van jezelf, hoe kun je dan houden van iemand anders? Als je geen tijd en aandacht aan jezelf besteedt, kortom, jezelf niet met respect behandelt, hoe kun je dan verwachten dat anderen dat wel doen? Whitney Houston zong het in 1985 al: 'I *found the greatest love of all/inside of me/learning to love yourself/it is the greatest love of all.'* In eerste instantie klinkt dit egoïstisch, of zelfs narcistisch, maar het is inmiddels algemeen geaccepteerde wijsheid, bijna een cliché, geworden en elk tijdschrift of boek zal dit onderschrijven.

Toch is niet iedereen hiervan overtuigd. Volgens Hedy Stegge, hoogleraar Ontwikkelingspsychopathologie aan de Vrije Universiteit Amsterdam, is het idee dat zelfwaardering cruciaal is voor een goede geestelijke gezondheid, een hardnekkig misverstand. Dit zegt ze naar aanleiding van een onderzoek dat *de Volkskrant* en de NCRV hebben laten uitvoeren naar narcisme in Nederland. Hun conclusie: vooral jongeren zijn vol van zichzelf. Volgens Stegge kan een opgeblazen zelfbeeld serieuze problemen veroorzaken. Wie zichzelf geweldig vindt, voelt zich al snel tekortgedaan door een omgeving die die vermeende grootheid niet onderkent, aldus Stegge in *de Volkskrant*. Een grotere kans op ruzies en conflicten is het voorspelbare gevolg.

Narcisme

Ook Jan Derksen, hoogleraar psychologie aan de Radboud Universiteit Nijmegen zegt in een uitzending van *Hart en Ziel* over dit onderwerp: 'Eigenliefde en grootheidsfantasieën zijn de afgelopen jaren exponentieel toegenomen.' In zijn boek *Het narcistisch ideaal* beschrijft hij dat ook in de Verenigde Staten is waargenomen dat jongeren in toenemende mate narcistische trekken vertonen: in 2006 scoorde twee derde van de studenten bovengemiddeld op een lijst om de mate van narcisme vast te stellen, dat is 30 procent meer dan in 1979. 'Dit houdt in dat de jeugd van tegenwoordig zichzelf veel meer centraal stelt dan vroeger, dat ze extraverter is, impulsiever, minder oog heeft voor anderen en voor de sociale omgeving.'

En dan is de vraag, hoe erg is dit in het licht van de veranderende maatschappij? Volgens het onderzoek van *de Volkskrant* zitten er wel degelijk positieve kanten aan deze eigenliefde. 'Iemand die geregeld bedenkt hoe goed hij wel niet is, neemt gemiddeld meer initiatief en zit over het algemeen net iets lekkerder in zijn vel.' Ook staat een hoge zelfwaardering voor een groter geloof in zelfredzaamheid. Wie hierin gelooft neemt graag de verantwoordelijkheid voor beslissingen en stelt zich minder afhankelijk op. In een samenleving gebaseerd op keuzes, moet je wel keuzes kúnnen maken. Dat moet je durven en je moet voor jezelf kunnen opkomen, of zoals het cliché ook wel zegt: kiezen voor jezelf. Of zoals Derksen het stelt: 'Wij vragen van jongeren dat ze presteren, dat ze achter hun computer ideeën genereren, dat ze de samenleving vooruit helpen. Dan heb je een gezonde dosis narcisme nodig.'

Hoe meer (verschillende) zielen, hoe meer vreugd

Dat dit besef van 'Ik moet het zelf doen, ik ben zelf verantwoordelijk' niet hetzelfde is als 'ikke, ikke en de rest kan stikke' werd duidelijk toen bleek dat die gezelligheid waar alle kinderen en jongeren het over hebben nog een dimensie heeft, die van de diversiteit en verscheidenheid. In het Woon-onderzoek van VROM kwam naar voren dat onze kinderen en jongeren het gezellig vinden thuis en liever niet weg willen, nog erger vinden ze het om uit hun omgeving te vertrekken: de wijk, de buurt, de straat, het dorp, de stad. De wijk is namelijk de plek waar hun leven zich afspeelt, waar ze opgroeien, waar ze spelen met vriendjes, waar ze naar school gaan. Vriendjes en klasgenootjes in alle soorten en maten, autochtoon, allochtoon, ADHD, ADD, dyslexie, gewoon druk of gewoon gewoon. Deze omgeving kan zo belangrijk worden dat ze liever niet willen verhuizen. Dat eigen huis, dat op kamers gaan, dat zal uiteindelijk wel moeten, dat weten ze ook wel, maar dan wel het liefst hier in de eigen wijk.

Tenminste, als die wijk of buurt dan ook een beetje leuk en gezellig is, en dat is afhankelijk van de mensen die er wonen en van het al niet aanwezig zijn van een centrale ontmoetingsplek. Hoe meer verschillende mensen er in een wijk wonen, hoe beter en hoe gezelliger. 'Ik vind er hier niets aan,' hoorden we jongeren uit het Gooi zeggen over hun eigen leefomgeving in een onderzoek van het ministerie van VROM over jongeren en wonen. 'Iedereen is hier hetzelfde, het zijn allemaal rijke mensen met ongezellige huizen. Ze komen nooit op straat.' Hoe meer zielen, hoe meer vreugd, maar met name moet er een plekje zijn voor iedereen, jong, oud, kind, bejaard, zwart, wit, Koran, Bijbel, rijk, arm, het maakt niet uit. Deze wens voor diversiteit kwam ook uit naar voren een onderzoek naar diversiteit in de klas: ook alle kinderen in de klas mogen verschillend zijn en voor iedereen is er een plekje. 'Want weet je,' zo vertelde Mare, acht jaar, in het onderzoek, 'die ADHD'ers zijn misschien weleens druk en dat is moeilijk als je je moet concentreren, maar ze horen er wel bij, want als er iets georganiseerd moet worden, zijn zij daar weer het beste in. Het wordt anders zo saai als zij er niet bij zijn.'

Ik bedoel, dat moet hij toch zelf weten… toch?

Als je jongeren vraagt hoe hun ideale wijk eruitziet, tekenen ze allemaal een cirkel. Die cirkel is dan de gemeenschappelijke ontmoetingsruimte. Dit kan een plein zijn of een park, dat maakt niet uit, als er maar van alles te doen is voor iedereen met voor elk wat wils: een speeltuin voor de kleintjes, een hangplek voor de jongeren, een basketbalveld, een pannaveldje, een tafeltennistafel, een barbecueplek, noem maar op. Iedereen moet op dat plein zijn eigen dingen kunnen doen, maar wel weer allemaal gezamenlijk. Net als bij ons in de huiskamers vinden jongeren dit ook buiten erg gezellig.

Daaromheen wordt de rest van de wijk ingericht, de scholen, het bejaardentehuis, de winkels, de kerken. En hier komt het derde aspect van gezelligheid om de hoek kijken: verdraagzaamheid, wat nauw samenhangt met respect en diversiteit. Respect voor elkaars eigenheid kan namelijk alleen maar ontstaan in een omgeving waarin je elkaar leert kennen en waarin je elkaar ook ziet. Als iedereen maar binnen zit en nooit eens buiten komt en met anderen praat wordt het een ongezellige boel. 'Kijk, hier heb je het plein,' legde Katrien, zeventien jaar, uit Weert uit, 'en daar staan een kerk, een synagoge en een moskee. Deze staan pal naast elkaar, met op het plein ervoor allemaal bankjes. Dan kunnen de mensen die uit de kerk of moskee komen elkaar tegenkomen en misschien weleens met elkaar praten. Dat hoeft natuurlijk niet, want dat moet iedereen zelf weten, maar het kan wel.' Zij was niet de enige met dit idee, ook in Rotterdam werd dit bedacht, onafhankelijk van de jongeren uit Weert. Hoe idealistisch dit ook moge klinken, alle groepen, zowel uit Rotterdam, Weert als het Gooi en Ommen waren het over één ding eens: die gezelligheid kan alleen voortkomen uit verdraagzaamheid, uit acceptatie voor elkaars anderszijn – maar dat gaat natuurlijk niet altijd goed. Dus moet er altijd een politiebureau naast dat plein staan.

Allemaal goed en wel, en als je dit zo leest dan lijkt het plotseling of onze kinderen en jongeren vreselijk idealistisch zijn, allemaal respect hebben voor elkaar en daarom nooit ruziemaken of elkaar uitschelden, altijd tolerant zijn voor elkaars anderszijn, elkaar nooit pesten. Helaas, was het maar zo'n feest, zo is het dus niet, wat iedereen die een tijdje met jongeren heeft opgetrokken je kan vertellen. Het zijn waarden waar bijna alle jongeren achter staan – terwijl ze ondertussen in het dagelijks leven ermee oefenen, de fout ingaan, elkaar stom vinden, elkaar uitschelden en er in de dagelijkse praktijk van leven alle kanten mee opgaan. Soms zie je ook een puber daarmee in de knoop raken. 'Ik bedoel, als hij dat nou wil, als hij nou denkt dat dat goed is,' zei Shanna van veertien, 'dan moet hij dat toch zelf weten...' Ze twijfelde, want wat de persoon uit ons onderzoek had gedaan was nu niet echt leuk of netjes te noemen. 'Maar toch vind ik het eigenlijk niet goed wat hij heeft gedaan, maar ja... ik kan er ook moeilijk over oordelen...' Ze raakte steeds verder in de knoop met aan de ene kant haar gevoel voor goed en slecht (er zijn nu eenmaal dingen die je niet doet) en aan de andere kant haar waarde dat iedereen respect verdient en moet kunnen zijn wie hij of zij is.

De keerzijde van het gevoel dat het op jezelf en op je eigen gedrag aankomt, is dat diegenen die dat minder goed kunnen, er zelf verantwoordelijk voor worden gemaakt. Dit kan heel hard zijn, in het geval van pesten bijvoorbeeld: 'Nerds kun je makkelijk pesten, want bij nerds krijg je altijd precies de reactie die je wilt.' Nerds hoeven geen nerds te zijn, daar kiezen ze zelf voor, inclusief de gevolgen die dat kan hebben.

Wat is dat eigenlijk, geluk?

Wonen, thuis, leven, het zijn allemaal voorwaarden voor een gelukkig leven. Ah, geluk! Dat prachtige woord, dat geweldige gevoel! Maar, um... Wat is geluk eigenlijk precies? Wanneer ben je nu wel of niet gelukkig? Bibliotheken vol zijn hierover geschreven, duizenden songteksten, gedichten, filosofen, de kerk, je buurman, iedereen heeft hier een mening over. Sommige van die meningen zijn persoonlijk (het is jouw gevoel, dus wie ben ik om daarover te oordelen), maar ook anderen vertellen ons waar we gelukkig van (moeten) worden: een deugdzaam leven, geloven, de juiste dingen doen, weer anderen vertellen ons dat als we al deze dingen doen, geluk dan iets is wat we krijgen als beloning – na ons leven. Geluk als gevoel, geluk als gevolg van een levensstijl, geluk als kers op de taart na een meer of minder ongelukkig leven...

Omdat het te simpel is om geluk te definiëren als een fijn gevoel dat je hebt, hebben filosofen zich in allerlei bochten gewrongen om bijvoorbeeld te beargumenteren dat een crimineel die op een tropisch strand pina colada's ligt te drinken van het geld van de bank die hij beroofd heeft, nooit echt gelukkig kan zijn, terwijl iemand die gemarteld wordt vanwege zijn overtuigingen, wel de gelukkigste persoon ter wereld moet zijn. Het is niet moeilijk de fout in deze redeneringen te zien, maar dan nog – wie zijn wij om te beoordelen wanneer iemand wel of niet gelukkig is, laat staan gelukkig *zou moet zijn*?

Het enige wat we met een beetje zekerheid over dit onderwerp kunnen vaststellen is dat alle activiteiten van ons als mens, zowel bewust als onbewust, gericht zijn op het krijgen van een goed gevoel en het vermijden van datgene wat pijn doet. *'If there is ever a group of human beings, who prefer despair to delight, frustration to satisfaction, and pain to pleasure, they must be very good at hiding, because nobody has ever seen them. People want to be happy, and all the other things they want are typically meant to be means to that end,'* zegt Daniel Gilbert erover in *Stumbling on Happiness* (2006), zijn onderzoek naar geluk. Ook al doen we nu dingen waar we geen zin in hebben en er dus niet per se op dit moment gelukkig van worden, zoals op dieet gaan terwijl we honger hebben, of pijn lijden in de sportschool terwijl we liever met chips op de bank liggen, dan doen we dat in de hoop dat we er in de *toekomst* gelukkig van worden.

Ik wil gelukkig worden

Toch is het een ambitie die je niet vaak iemand hoort verkondigen, terwijl het wel het ultieme levensdoel is. Als je jezelf in de toekomst ziet zitten, op dat strand met die pina colada, op een koffer met geld dat je hebt verdiend, al dan niet legaal, dan krijg je een fijn gevoel bij dat beeld. Als je jezelf voorstelt dat je de Nobelprijs in ontvangst neemt en een staande ovatie krijgt, ook dan kan het fijn gloeien van binnen. Als je je voorstelt dat je later samen met je echtgenoot hand in hand op een bankje in het park zit en je elkaar in de ogen kijkt en nog gekker op elkaar bent dan dat je nu al bent (vanwege de grotere hoeveelheid jaren die je samen hebt gedeeld), of als je je voorstelt dat je dochter haar diploma krijgt en daar trots staat te stralen terwijl de docent een paar complimenterende woorden uitspreekt – terwijl ze nu nog in de wieg ligt, wie zucht dan niet even? Fijne toekomstscenario's, beelden van onszelf en de mensen van wie we houden in een later leven, ook al zijn die beelden een product van onze fantasie, we worden er gewoon blij van. Status, geld verdienen, beroemd worden, gezond blijven, oud worden, al deze ambities zijn ultimo gericht op het verkrijgen van geluk. En onze jeugd verschilt daarin niet.

Het enige waarin onze kinderen verschillen met ons, is dat zij niet al die omwegen naar geluk noemen: een dikke baan met veel geld en dan hop naar dat tropische strand, maar het beestje noemen bij de naam: ik wil gelukkig worden en heb ook al in mijn hoofd hoe ik daar kom. De weg tot geluk ligt namelijk in jezelf: iedereen kan gelukkig worden, zolang je maar datgene doet waar je goed in bent en wat je fijn vindt om te doen. Als je doet waar je goed in bent word je de persoon die je zou moeten zijn. Iedereen heeft namelijk goede en slechte eigenschappen, en de weg naar geluk ligt niet in het oppoetsen van de dingen die je niet kunt, maar in excelleren in wat je juist heel goed kunt. Waarom zou je al je energie richten op datgene wat je van nature niet hebt? Terwijl je je zo goed voelt als je doet wat je leuk vindt en wat je kunt, en er ook nog zo goed in kunt worden als het je echte talent is?

8

Ik wil dat jullie ook gelukkig zijn!

Weet je nog wat we zeiden tegen onze kinderen? 'Het maakt niet uit
wat je doet, als je maar gelukkig bent. Je bent gewenst en geliefd. Je
mening telt en je mag er zijn.'

Maar dit zijn niet de enige boodschappen die we meegeven. We
zeggen ook: 'Mama en papa zijn ook maar mensen, en mensen
kunnen nu eenmaal weleens ruzie maken. Papa en mama zijn ook
maar mensen met een eigen identiteit. En soms blijkt dat papa en
mama niet meer bij elkaar passen.' De belangrijkste boodschappen
zijn echter niet verbaal, maar non-verbaal en zitten in ons gedrag en
in de manier waarop we kijken.

Kinderen en jongeren kijken naar ons en zien ook die dingen die
we ze niet vertellen, ze horen de onuitgesproken woorden, ze
zien die situaties waarin we niet op ons best zijn: als we moe en
chagrijnig zijn omdat we te hard hebben gewerkt in banen die we
niet leuk vinden, als we klagen omdat we visite krijgen van mensen
die eigenlijk geen echte vrienden zijn maar dan later wel met een
nepgezicht het stel ontvangen, als we bij een jobcoach zitten, als we
overspannen raken, burned-out, als we er nooit zijn, als we op onze
tenen lopen bij onze baas: kortom, als we niet gelukkig zijn met
de keuzes die we hebben gemaakt en als die keuzes ons tot nare,
chagrijnige, ongelukkige, mopperende, bittere zeurkousen maakt.

En weet je? Dat maakt dus helemaal niet uit. 'Mijn papa is mijn
papa en hij houdt van me, ook als we ruzie hebben,' zei Mike van

veertien in het onderzoek dat we deden voor dit boek[11]. Kinderen en jongeren houden van hun ouders, *no matter what*. Op de vraag, wat voor cijfers geven jullie je ouders, vlogen de cijfers ons om de oren: 'Een 10, een 10, 9, 9½, 10+, 10+, 10++++++!' In de overtreffende trap, om het hardst roepend en lachend, werden de hoogste cijfers gegeven. Dit gold niet alleen voor de kleinsten in ons onderzoek, ook de dertien- tot vijftienjarigen deden hieraan mee, ook hier werden met het grootste gemak de negens en de tienen gegeven.

Wij zijn zo gelukkig!

Zijn jullie dan zo gelukkig, vroegen wij? En ja, dat beaamden ze allemaal. 'Ik ben het gelukkigste meisje van de hele wereld,' riep een van de meisjes. Ook dat werd beaamd door de rest van de groep, die om het hardst riepen dat (nee ik, nee ik, nee ik!) nee zij, het gelukkigst waren. Ze kunnen doen en laten wat ze willen, ze hebben vriendjes en vriendinnetjes, speelgoed en lieve ouders die alles voor ze doen, waar ze open mee kunnen communiceren en die vooral heel veel van hen houden.

'Ik vond dertien jaar echt rampzalig,' vertelde een van de moeders. 'Mijn dochter is zo in balans, dat verbaast me weleens. Ze neemt haar taken heel serieus, ze wil niet scoren onder een 8, ze doet allemaal leuke dingen, is zo vrolijk. Dat gelukkig zijn... Ik voelde me vroeger doodongelukkig en onzeker en deze meiden zijn allemaal zo happy.' Een andere moeder: 'Mijn dochter zet zich niet zo af, dat valt reuze mee. Ze houdt van gezelligheid. Ondanks dat ze wel geheimpjes heeft is ze toch heel eerlijk. Ze heeft laatst uit zichzelf verteld dat ze een sigaret had gerookt en wat dat met haar had gedaan.'

... gelukkiger dan onze ouders...

Ouders zijn gewoon ouders, met hun leuke en stomme eigenschappen. Toch zijn er ook weleens momenten dat je extra trots op je ouders bent. 'Mijn vader heeft een keer een vogelhuisje getimmerd, dat was echt heel gaaf. Toen was ik heel trots op hem.' En uiteraard doen ouders ook heel stomme dingen, zoals een jongetje van acht vertelt: 'Wat ik wel stom vind is dat ze afspraken voor me maakt met vriendjes van mij, terwijl ik dan al iemand anders in gedachten had om mee te spelen.' Of dat mama heel hard met de radio meezingt, dan schaam je je, of dat mama stomme kleren aan heeft, en dat je er dan naast moet lopen. Maar ook al schamen alle kinderen zich weleens voor hun ouders en doen hun ouders ook echt dingen die ze niet leuk vinden (zoals je dwingen om je kamer op te ruimen, volgens een van de meisjes echt verschrikkelijk akelig) – het maakt niets uit voor het gevoel dat ze voor hun ouders hebben. Dat weten ze zelf ook wel. 'Het maakt niet uit wat ze doen, je houdt toch wel van ze omdat het je ouders zijn,' vertelde een jongen van dertien daarover. 'Niets aan verbeteren, ze zijn helemaal perfect!' riep een ander.

Toch beseffen ze ook dat hun blije wereld niet per se dezelfde is als die waarin hun ouders leven. Zowel de jongens als de meisjes van alle leeftijden gaven aan dat hun ouders misschien wel niet zo gelukkig zijn. 'Ik denk dat ik gelukkiger ben dan mijn ouders,' zei een negenjarig meisje in ons onderzoek. De rest van de groep was het daar mee eens. De meiden van veertien, vijftien jaar wisten het ook zeker: 'Wij zijn gelukkiger dan onze moeders.'
'Ik denk toch wel dat wij gelukkiger zijn,' zei een van de jongens van veertien, 'mijn ouders zijn altijd zo gestrest.' Heel accuraat gaven de kinderen aan hoe druk hun ouders zijn, wat ze doen en hoeveel stress ze daarbij hebben: 'Mama heeft het heel zwaar. Ze moet altijd

alles regelen, boodschappen doen, eten koken en voor ons zorgen,'
zei een achtjarig meisje. 'Mama doet altijd van alles, ze doet
boodschappen en ze kookt, ze knuffelt ons, brengt ons naar school
en naar de voetbal,' vatten de achtjarige jongetjes het samen.
Papa is vooral aan het werk en is er niet zo vaak, omdat hij elke
dag en ook wel in weekend werkt. Dat leven van hun ouders lijkt de
kinderen niet zo geweldig. '"Is moeder zijn eigenlijk wel leuk, mam?"
vroeg mijn dochter,' vertelde een van de deelnemende moeders. 'Ik
denk dat ze wel in de gaten hebben hoe druk wij het hebben, wat we
voor ze doen.'

Het maakt wel uit wat jij wilt!

Een van de grootste wensen die we hebben voor onze kinderen is
dat ze gelukkig zijn. Zoals een moeder van een dochter van twaalf
het zegt: 'Ik probeer ze te laten doen wat ze het liefste willen doen.
Als ze maar gelukkig zijn met hun leven, op allerlei vlakken.'
Als zij maar gelukkig zijn? Nee, dat niet alleen. Zoals een moeder
van een zoon van vijftien het zegt: 'Dat je een zo goed mogelijk
mens de wereld in helpt, die goed is voor zichzelf maar ook voor
een ander. Dat hij zijn eigen ik kan zijn. Dat hij zijn eigen makker
is. Dat hij een gelukkig mensje mag zijn, goed voor zichzelf maar
ook voor een ander.' Ouders wensen hun kinderen een stabiele
persoonlijkheid toe, die zichzelf kan blijven in een wereld
barstensvol verleidingen, die kan opkomen voor zichzelf en ook de
juiste keuzes kan maken. 'Mijn dochter vraagt me dan. "Wat vind
jij leuk mama?" En dan zeg ik altijd: "Het maakt niet uit wat ik vind
als je zelf maar doet wat je leuk vindt en als je zelf je eigen grenzen
maar aangeeft."'

Het idee dat het niets uitmaakt wat jij als mama of als papa wilt (of
bent, of denkt, of voelt), zolang je kind zich maar kan ontplooien,

kan leren kiezen, zichzelf kan leren worden, wordt niet gedeeld door de kinderen zelf. Ook mama's en papa's moeten zichzelf ontplooien, zichzelf zijn en er niet alleen zijn voor hen, de kinderen. Want dat klopt namelijk niet, iedereen is anders, iedereen is een individu met wensen en verlangens, zo ook hun ouders.

Een beetje boos is ook wel leuk

Dat mensen – en andere kinderen – niet allemaal hetzelfde kunnen en moeten zijn, is een mening die kinderen al vroeg naar voren brengen. Iedereen is anders en als iedereen hetzelfde is, is het niet alleen saai, het is ook nog eens onmogelijk. Mensen hebben emoties, en die kunnen verschillen. 'Soms ben ik boos en soms ben ik aardig,' vertelde een meisje van acht in ons IOVI-onderzoek, 'dat is normaal. Soms zijn mensen op straat aardig en soms ook niet. Dan zijn ze met het verkeerde been uit bed gestapt of zo. Ik was gister ook chagrijnig, maar niet de hele dag hoor, eventjes maar.' Mensen gaan soms slecht met elkaar om, soms goed, soms leuk, soms kwaad, soms vervelend, soms aardig. Hoe komt dit, vroegen we de meisjes? 'Het is niet leuk als je altijd maar aardig bent. Een beetje boos is soms ook wel leuk.' Een ander meisje: 'Ja, ik ben liever ook steeds wat anders. Er is niet één beste manier, altijd anders is het beste.' En na enig nadenken: 'Nee, soms is het wel leuk als iedereen aardig en gezellig is, maar als iedereen aardig is, dan wil je boos, en als iedereen boos is, wil je aardig... Je wilt altijd wat anders dan er is.'

De behoefte aan variatie en oefenen met het emotiespectrum zit er al vroeg in. Dat oefenen met emoties is ook een manier om je omgeving te beïnvloeden. 'Als ik wil dat mensen aardig worden, dan doe ik heel lief tegen ze. En als ik wil dat ze boos worden, dan doe ik ook boos, dan ga ik mijn broertje pesten of zo.' Dit spelen met emoties is een handige manier om zaken gedaan te krijgen van mama en papa. 'Als je tegen je ouders aardig doet, dan mag je veel meer. Maar wat nog beter is, is als je eerst boos hebt gedaan, dan mag je nog vééél meer dan wanneer je altijd maar aardig bent.' Op de vraag of ze hun ouders goed kenden, riepen ze allemaal: 'Hééél goed!!' Het is makkelijker ze boos dan aardig te maken, maar 'iemand aardig maken is het leukst'.

Kinderen voelen al vroeg aan hoe goed zij hun omgeving kunnen beïnvloeden, of manipuleren om maar eens een lelijk woord te gebruiken. Soms neemt dit overdreven vormen aan, zoals de jongetjes in ons onderzoek die als antwoord op de vraag: wie is er bij jullie de baas in huis, om het hardst riepen: 'Ik, ik, ik!'

Gedrag kun je beïnvloeden

'Wij hebben allemaal groepjes op school,' vertelde een dertienjarig meisje. 'De nerds, de gewonen en de coolen. De coolen zitten niet bij de nerds.'
Deze groepjes zijn echter niet, zoals vroeger de punkers en de kakkers, vaste groepen waar je volledig toe behoort met kledingcodes en alles. Deze groepjes zijn gebaseerd op hoe je je gedraagt en hoe je bent. 'Het ligt eraan wat voor innerlijk je hebt,' legde een van de meiden uit. 'Kijk, nerds durven minder maar dat is niet slechter. Ze zijn gewoon anders. Ze durven niet zoveel te zeggen, maar als ze nu maar gewoon eens gingen praten, dan werden ze ook populair.'
Populair zijn of niet, heeft in dit geval alles te maken met gedrag: hoe spontaner en gezelliger hoe beter. Hoe je je gedraagt is iets wat je kunt veranderen. Het is niet per definitie een karaktereigenschap. 'Als je spontaan bent, gaat alles vanzelf, maar als je verlegen bent, is het best moeilijk hoor, vind ik.' Alle meiden vertellen dat ze

weleens verlegen zijn, en dat ze zien dat iedereen weleens verlegen is: 'Als ik een jongen leuk vind, dan raak ik helemaal verstijfd,' zei een meisje. 'Ik vind dat echt vreselijk, maar soms overkomt het je gewoon.' De groep kon zich niet voorstellen dat iemand nooit verlegen is. 'Net waren we ook allemaal verlegen, maar nu zitten we ook allemaal te praten.' Mensen hebben dus emoties die zich vertalen in gedrag en door dat gedrag kun je in een hokje vallen. Maar daar ook weer op eigen kracht uitkomen, als je je gedrag maar verandert.

Het zelf verantwoordelijk zijn voor je eigen emoties en gedrag, het klinkt nogal als Dr. Phil en Oprah, maar de boodschap is wel aangekomen. Met mensen heb je dan ook normaal om te gaan, want 'ik snap niet waarom mensen pesten, ik bedoel, iedereen is toch gelijk?'

Gedrag is beïnvloedbaar, zowel bij jezelf als bij de ander. Aan gedrag en gezichtsuitdrukkingen kun je zien hoe iemand zich voelt. Kinderen en jongeren letten op de gezichtsuitdrukkingen van hun ouders en halen daar belangrijke informatie uit. Zelfs baby's doen dit al. In een filmpje op YouTube is te zien hoe een baby in paniek raakt als zijn moeder, ongeacht wat de kleine ook doet, geen enkele gelaatsuitdrukking toont. Het kleintje kan niets bewerkstelligen, of hij nu lacht of huilt, moeder reageert niet. Uiteindelijk raakt hij volledig in paniek en tot grote opluchting van hem (en trouwens ook van de kijker) doet mama dan gewoon weer normaal. Ze lacht weer en laat weer emoties zien. Kinderen hebben voor hun voortbestaan deze informatie broodnodig maar ook de wetenschap dat wat zij doen een effect heeft. Dat huilen leidt tot eten of knuffels, dat lachen leidt tot blije gezichten wat weer leidt tot warme gevoelens en verbondenheid. Hoe hard het ook is, dit leidt uiteindelijk tot de uitspraak van Yentl, veertien jaar, dat 'als je genegeerd wordt is dat je eigen schuld'. 'Ik zie altijd hoe mama zich voelt, als ze ongesteld is of chagrijnig. Dan snauwt ze je af en begint ineens te klagen dat wij nooit iets doen in huis.'

Ze zeggen altijd maar van alles, maar ze doen nooit wat ze zeggen...

Nu zou je denken dat als kinderen en jongeren al zo vroeg doorhebben dat zij een effect kunnen hebben, zowel op het gedrag van hun ouders als op elkaar, dat ze dan zouden kiezen voor alleen maar positief, leuk en gezellig. Maar dat blijkt dus niet zo te zijn. 'Altijd maar aardig is saai hoor,' aldus een jongetje van acht. Hij vervolgt: 'Maar alleen maar stom is ook saai.' Ook hier gaat het weer om de afwisseling, om de diversiteit. Ook het gevoel dat verschillende emoties leiden tot verschillende leerervaringen hoor je terugkomen. 'Ik heb soms zin in een down,' aldus een jongen van dertien. 'Dan gaat het slechter op school, en als ik dan een vier sta, dan moet ik extra hard werken.' Downs gaan vanzelf weer weg, maar zijn nodig. Je wordt er sterker van, je komt er weer uit.

Gedrag is ook een betere voorspeller van hoe het echt gaat in het gezin. Want woorden hebben nauwelijks waarde meer. 'Mijn moeder waarschuwt altijd alleen maar, ze dreigt met van alles, maar ze doet nooit wat,' schampert een van de jongens van acht jaar. 'Soms ben ik wel boos op papa, als hij iets belooft en dat niet doet.' Wat ouders zeggen en wat ze doen, zijn soms twee verschillende dingen, dus je kunt maar beter letten op dat wat er gebeurt dan wat erover gezegd wordt. En het kunstmatig leuk houden, daar houden ze niet van. Alle kinderen en jongeren die we ondervroegen waren het erover eens: ruzie is belangrijk. Want ruzie is niet alleen leuk voor de afwisseling, het is ook nog eens de manier waarop je echt kunt zien wat er gebeurt, hoe het werkelijk is. 'Mijn papa en mama zeggen wel dat ze van elkaar houden, maar daar merk ik nooit iets van,' zegt

Jens van negen. Het mooiste is dan ook dat niet alleen je ouders van elkaar houden, maar dat je dat ook voelt, en dat ze van daaruit ook van jou houden. En ouders kunnen gaan scheiden, dat weten ze allemaal en ze maken het ook mee. 'Als ze altijd maar ruzie hebben en niet meer willen samenwonen. Of dat ze elkaar stom vinden en het niet meer leuk vinden samen of dat ze een andere man of vrouw willen.' Ruziemaken is een manier om te testen of papa en mama elkaar en jou nog wel leuk vinden. 'Het mooiste van ruziemaken is namelijk dat je het erna weer goedmaakt, en dan is het nog veel beter dan daarvoor!'

Relaties om van te leren

De wereld is veranderlijk, een leven is niet meer constant, is niet meer onveranderbaar. Nieuwe situaties ontstaan, andere mensen komen op andere momenten in je leven, vriendschappen komen en gaan en ook papa en mama blijven niet noodzakelijkerwijs bij elkaar. Het moderne leven is veranderlijker dan ooit tevoren en veel kinderen en jongeren maken in hun leven een scheiding mee. Zij zien dat mensen, hun ouders, kunnen veranderen. Ouders kunnen stoppen met van elkaar houden, of ouders laten zien dat ze individuen zijn, die misschien nog wel van elkaar houden, maar niet bij elkaar passen. En van jongs af aan wordt er gecommuniceerd met onze kinderen en jongeren. We vertellen ze dat we van hen houden, ook al vinden we hun gedrag niet leuk, we vertellen ze dat ook al houden papa en mama niet meer van elkaar, dat ze nog wel van hen houden. Zo zijn er praatgroepen voor kinderen ingericht waarin ze kunnen zien dat er ook andere kinderen zijn die dit overkomt, dat het dus niet hun schuld is. 'Als blijkt dat ze niet van elkaar houden,' vertelt een 20-jarige student in het programma *Opvoeden & Zo* over echtscheiding, 'dan is je heel fijne idee van familie verpletterd.' Een andere studente vertelde dat ze het naar vond 'dat ik mijn ouders een luisterend oor moest bieden, en dat terwijl ik zelf moest studeren'. Alle geïnterviewden vonden het, hard als het was, wel heel leerzaam. 'Mijn ouders werden er wel een stuk relaxter van toen ze eenmaal gescheiden waren.' 'Ik wil er wel echt een succes van maken, als ik zelf zou gaan trouwen, maar dan wel op de goede manier, je moet dus juist je eigen weg volgen, doen waarin je gelooft.' Een andere student verwoordde het als volgt: 'Het heeft me mentaal sterker gemaakt. Ik heb ervan leren relativeren, dat het allemaal wel meevalt.' Maar ook: 'Ik heb wel een ander idee van trouwen en samenleving gekregen, ik heb nu minder vertrouwen in het instituut trouwen.'

Het heel brede spectrum van emoties komt voorbij waarbij de slechtste situatie voor kinderen is als er veel wordt ruziegemaakt en als dat ook niet overgaat, bijvoorbeeld als ouders na de scheiding extra ruzie gaan maken vanwege de omgang. 'Kinderen zijn best gewend aan een gemiddeld aantal conflicten. Ze willen redelijk tevreden ouders, geen supergelukkige ouders,' zegt Ed Spruijt over kinderen en scheiding. Nadelige effecten van scheiding: depressie, agressiviteit, gemiddeld lager eindniveau opleiding, meer kans op roken/drinken/blowen, moeilijk goede sociale relaties kunnen opbouwen. Het voordeel, hoe naar dat ook klinkt: kinderen en jongeren leren meer over relaties. 'Kinderen uit intacte gezinnen zijn vaak wat argelozer wat dat betreft. Maar er staat ook weer tegenover dat kinderen van gescheiden ouders moeilijker zelf relaties kunnen behouden.' Het is en blijft gigantisch ingrijpend, hoe dan ook.

Maar ook reality-tv is leerzaam

Dus kinderen leren al snel dat hun ouders individuen zijn, met eigen kenmerken en karaktereigenschappen en dat dat ook zo hoort. De media helpen ook een handje in dit leerproces, met name tv en dan nog in het bijzonder reality-tv. Reality-tv met shows als *The Apprentice*, waarin je een plek kunt veroveren als medewerker van Donald Trump, *Expeditie Robinson* of *Project Runway*, zijn 'spelprogramma's' waarin de regels niet vastliggen zoals in bijvoorbeeld *Lingo*. De regels kunnen zomaar veranderen en de manier waarop de deelnemers daarmee omgaan, hoe zij hun doel proberen te bereiken, maakt dat kijkers intensief meeleven, en dan niet alleen uit leedvermaak, maar vooral ook om de strategische beslissingen achter het gedrag te evalueren. 'Stel dat ik in die situatie zat, dan zou ik Kees van het eiland gooien en niet Jan.' Het gaat om groepen mensen die in een artificiële omgeving met arbitraire regels moeten zien te overleven, met elkaar. En aan wat ze doen, maar vooral aan hun gezichtsuitdrukkingen, de echte, die in een flits van een seconde voorbijkomen, zie je hoe Jan daadwerkelijk denkt over Angela en hoe Robbert net doet alsof hij aardig is maar eigenlijk niet te vertrouwen is.

Volgens Steven Johnsons *Everything Bad is Good for You* leidt dit bij de kijkers tot een hogere sociale intelligentie: het leren inschatten van mensen en hun intenties door hun strategieën en gezichtsuitdrukkingen te lezen, daarbij mentaal het sociale netwerk te bouwen van alle complexe relaties die de deelnemers onderhouden. Wat je ook van deze programma's vindt, wat je ervan leert staat in elk geval in geen verhouding tot het al genoemde *Lingo*. Waar je in programma's als *Tien voor Twaalf* veel feitjes en trivia leert, leer je in deze programma's kijken, analyseren van sociale relaties, lezen van gezichtsuitdrukkingen en leren van mensen en over mensen. En in een wereld waarin netwerken een steeds grotere rol spelen, zijn dit regelrechte *survival skills*. Maar goed dus dat dit ook nog eens de populaire programma's van onze kinderen en jongeren zijn, hoe moeilijk dat ook voor te stellen is als je weer eens een verplichte kijksessie *So you think you can dance* achter de rug hebt.

Neem ze vooral niet te letterlijk

Zoals we in de vorige hoofdstukken al stelden wordt de wereld, hoe onbegrijpelijk soms ook, steeds transparanter. Door reclame en tv leren kinderen en jongeren al gauw wat de werkelijke intenties zijn van het bedrijfsleven, van scholen en bedrijven (koop mij, leer bij mij, werk bij mij!) en wat de werkelijke intenties zijn van mensen in het algemeen. Thuis en op school leren ze wat de werkelijke intenties zijn van de mensen om hen heen, en dan met name die van hun ouders, de belangrijkste mensen van allemaal. En al snel leren ze dat die intentie belangrijker is dan woorden, want woorden, hebben ze geleerd, zijn leeg. Dus oefenen ze met relaties onderling, waarin ruziemaken de belangrijke functie heeft van een 'reality check' – dan weet je dat het echt is. De grote vraag is steeds: stoelt deze relatie op een formele afspraak of is de relatie intern geborgd? Zegt zij nu alleen maar dat ze mijn vriendinnetje is, of is ze dat ook echt? Zegt deze leraar nu alleen maar dat ze het beste met ons voor heeft, of is dat eigenlijk niet waar? Mijn vader zegt dat hij van mama houdt, maar is dat wel zo? Hoe krachtig is de relatie nu eigenlijk echt? En waar ruzie thuis, en met vriendjes, helpt om hier achter te komen, zo is 'dissen' hier ook een vorm van. Het dissen waarbij je je vrienden maar ook volwassenen test, test hoe de relatie *echt* is. Kan hij of zij er wel tegen als ik niet alleen maar aardige dingen zeg, maar vindt hij mij nog steeds leuk als ik iets vervelends zeg? Is deze volwassene wel een echte autoriteit op zijn gebied, of verdwijnt dat zodra ik moeilijke vragen ga stellen en ronduit vervelend word?

Kinderen en jongeren leren dat er een verschil is tussen wat mensen zeggen, wat ze doen, wat ze voelen en wat ze zeggen in verschillende situaties. 'Mama vindt bescherming het belangrijkst, dat wij veilig zijn, maar als je het haar vraagt, dan zegt ze dat ze opvoeding het belangrijkst vindt. Maar dat zegt ze alleen maar omdat ze denkt dat ze dat moet zeggen. Ze vindt andere dingen veel belangrijker,' vertelde Janne van negen. Dit is niet erg, want elke situatie is anders, en dan kun je anders reageren. Dat verandert niets aan wie je bent, maar laat alleen zien dat er verschillende reacties in verschillende situaties zijn. Kinderen en jongeren snappen dat opmerkingen die gemaakt worden tijdens een ruzie anders zijn dan als er geen ruzie is, dat je moet kijken naar de context van waarin iets wordt gezegd. 'Als ik boos ben, dan zeg ik nare dingen, maar die meen ik niet hoor.' 'Papa roept altijd van alles en dan later biedt hij zijn excuses aan en zegt dat het kwam omdat hij boos was.' Soms kun je gewoon maar wat zeggen. Kinderen en jongeren leren al vroeg dat het te letterlijk nemen van hun ouders niet werkt, dat zij mensen zijn met buien en stemmingen, dat ze stress kunnen hebben, boos kunnen zijn, maar ook lief en aardig. 'Het hangt er vanaf...' is dan ook een veelgehoorde uitspraak van kinderen en jongeren. Van de situatie op dat moment, van je gevoel, van de context.

Gelukkige ouders, gelukkige kinderen

'Als hij niet gelukkig is als leraar, als hij steeds overspannen wordt van ons, als hij lesgeven aan ons niet leuk vindt en steeds over ons klaagt, waarom zoekt hij dan niet een andere baan?' Kinderen en jongeren snappen er namelijk echt niets van: waarom doen toch zoveel volwassenen dingen die ze niet leuk vinden? Dat je even iets moet doen wat je niet leuk vindt, dat snapt echt ieder kind wel, maar dat je er dan je levenswerk van maakt? En er dan wel over zeuren maar er niets aan doen, dat snappen ze al helemaal niet. Alles wat ons ervan weerhoudt een nieuwe weg in te slaan – hypotheken, gezichtsverlies, verkeerde opleidingen, omscholingen – dat zijn zaken waar ze nog niets bij voelen, dus voor hen is er geen excuus. In hun wereld kun je altijd iets anders, is er altijd iets waar je wel gelukkig van wordt, en dat moet je dan gaan doen. Dat ben je niet alleen verplicht aan jezelf, maar ook aan al die anderen die je met je doorlopende gezeur mede-ongelukkig maakt.

Want kinderen willen hun ouders graag gelukkig zien (want gelukkige ouders blijven bij elkaar en bij jou). En omdat ze vinden dat je alleen gelukkig kunt zijn als je bent wie je bent en doet wat je wilt doen, dan is het logisch dat dit recept ook moet gelden voor papa en mama. 'Mama loopt altijd alleen maar te stressen,' hoorden we in ons onderzoek. Ouders doen zo verschrikkelijk hun best voor hun kinderen, alsof het geluk van hun kinderen belangrijker is dan dat van henzelf. En dat terwijl de kinderen aangeven dat ze het meest trots zijn op hun ouders als ze iets laten zien wat echt van henzelf is, zoals dat vogelhuisje dat papa zelf had gemaakt. Het is in elk geval niet zo dat het alleen om henzelf moet gaan. 'Als ik later kinderen zou opvoeden zou ik het precies zo doen als mijn ouders! Alleen wel iets strenger, mijn kinderen moeten wel beter luisteren, want anders worden ze brutaal. Net als een jongetje bij mij in de klas, die is heel brutaal want hij mag alles van zijn ouders. Hij doet heel vervelend in de klas,' aldus een meisje van negen. Na even nadenken was het oordeel in de groep: 'Hij is meestal niet zo gelukkig.'

Of zoals prof. dr. Ruut Veenhoven, *professor of social conditions for human happiness* aan de Erasmus Universiteit Rotterdam, het simpelweg verwoordt: 'Gelukkige ouders maken gelukkige kinderen.'

Maar zijn we dat wel?

'Gelukkige ouders maken gelukkige kinderen'? Prof. Ruut Veenhoven kan dat wel zeggen, en onze ouders hebben het vast ook tegen ons gezegd en het principe zal ook wel kloppen, toch is dit makkelijker gezegd dan gedaan. Geluk zit niet in een potje dat je bij de supermarkt haalt, je hebt er geen abonnement op. Het is waar bijna ieder van ons naar streeft en dat kan een heel leven in beslag nemen (met meer of minder succes). Geluk is zo'n ingewikkeld en breed begrip dat filosofen, psychologen, denkers in het algemeen zich hier al eeuwen over buigen, zonder het begrip te kunnen vastnagelen. Geluk is wat je voelt als je een prachtige zonsondergang ziet, of als je baby je in de ogen kijkt en lacht of als je 's ochtends na het opstaan je eerste kopje koffie drinkt, of...

Geluk is subjectief en dat betekent dat wat voor jou geluk betekent, het dat niet voor mij hoeft te zijn. Zo is dit gelukslijstje er een van ons. Dat van jou zal er compleet anders uitzien en misschien staan er wel dingen op waar wij niet aan zouden moeten denken.

Toch zijn er wel een aantal zaken waar mensen zich beter of fijner door voelen. Voedsel, onderdak en een veilige omgeving zijn zulke zaken. En ondanks het adagium dat meer geld niet gelukkig maakt, ziet Ruut Veenhoven dat anders: 'The 'Easterlin paradox' holds that economic growth does not add to the quality-of-life and that this appears in the fact that average happiness in nations has not risen in the last few decades. The latest trend data show otherwise. Average happiness has increased slightly in rich nations and considerably in the few poor nations for which data are available. Since longevity has also increased, the average number of happy life years has increased at an unprecedented rate since the 1950s.'

Controle leidt tot meer geluk

Maar, zo beschrijft prof. Veenhoven in zijn artikel 'Rising Happiness in Nations 1945-2004', gelukkiger worden van meer geld, geldt niet als er een culturele omwenteling gaande is, zoals bijvoorbeeld in de periode dat Oost- en West-Duitsland zich verenigden. Ook al ging de levensstandaard voor de Oost-Duitsers omhoog, gelukkiger werden ze er niet van. Hun wereld veranderde immers compleet. Wat ze hun hele leven hadden gedaan, gezien en hadden meegemaakt – en waar ze dus aan gewend waren geraakt – ging over de kop, veranderde totaal. In zo'n omgeving moet je opnieuw leren, nieuwe regels, nieuwe omgangsvormen, een nieuwe wereld. Wat ze kenden, waren ze kwijt, en het nieuwe moesten ze nog leren. En dit hangt samen met een van de meest basale behoeften van de mens die leidt tot meer of minder geluk, en dat is controle. 'Being effective – changing things, influencing things, making things happen – is one of the fundamental needs with which the human brains seems to be naturally endowed, and much from our behaviour from infancy onward is simply an expression of this penchant for control,' aldus Daniel Gilbert in Stumbling on Happiness.

Controle kunnen uitoefenen, bepalen waar het naartoe gaat, beslissingen nemen die ertoe doen, effectief zijn, niet machteloos toekijken, er simpelweg toe doen, dat is belangrijk voor ons, zozeer dat we zelfs gelukkiger worden van de illusie van controle, ook al weten we stiekem wel dat we die helemaal niet hebben. Neem loterijen, als mensen hun eigen cijfers kunnen invullen voelt dat goed, alsof je van afstand de uitkomst van de loterij kunt bepalen door je eigen geluksgetallen in te voeren. Of neem fantasieën waarin je je voorstelt dat je je baas eens even vertelt wat je van hem denkt, en dat hij je dan gelijk geeft en je een salarisverhoging geeft – je voelt je dan even beter, alsof je daadwerkelijk even het heft in eigen handen hebt genomen. Machteloosheid aan de andere kant is iets vreselijks, wat iedereen weet die naast het ziekenhuisbed van een geliefde heeft gestaan. Al die rekken met zelfhulpboeken in Donner staan daar om jou te helpen gelukkiger te worden door controle te nemen over je leven, om te leren omgaan met het oncontroleerbare, met pijn, met verlies, met verdriet en de nadruk ligt er vooral op te versterken wat je kunt controleren: je eigen gedachten, je eigen emoties, je eigen lijf. De onderliggende boodschap is: er is altijd wel iets te controleren, richt je energie daar op en je voelt je weer wat gelukkiger.

En dan komen er kinderen

Kinderen zijn belangrijk, misschien wel het belangrijkst. Zonder voortplanting geen kinderen, zonder kinderen geen mensen, zonder mensen geen... Nou ja, laten we zeggen dat planeet Aarde daar waarschijnlijk niet zo'n probleem mee heeft, maar onze soort denkt daar heel anders over. Agent Smith kan in *The Matrix* nog zo hard roepen 'humanity is a virus', wij zijn niet van plan te stoppen met bestaan. Dus kinderen zullen er altijd zijn. Of we er nu gemiddeld 1,8 of 2,3 krijgen, krijgen zullen en vooral ook willen we ze. Ongewenste kinderloosheid is een probleem van de westerse samenleving, waar sinds jaren de vruchtbaarheidsgraad van zowel mannen als vrouwen dalende is als gevolg van onze welvaartsmaatschappij: gebruik van de pil, strakke spijkerbroeken, milieuvervuiling, te weinig beweging, kunstlicht... Uit een Deense studie[12] bleek dat mannen de afgelopen vijftig jaar half zo vruchtbaar zijn geworden. De genoemde redenen zijn mogelijkheden, maar het is niet zeker

waarom het zo is. 'Vruchtbaarheid en dus ook onvruchtbaarheid
is een van de grootste mysteries van het menselijk lichaam,'
zo vertelde een arts aan een kinderloos echtpaar. Dat het een
pijnlijk proces is, het onderzoek naar het waarom, de stappen
die er genomen worden, de onderzoeken zelf, de procedures, de
hoop gekoppeld aan de teleurstelling, de jaloezie op mensen die
stoppen met de pil en zowat een dag later zwanger zijn. Er is een
hele groep mensen die zich al die ergernissen over en problemen
met kinderen maar moeilijk kunnen voorstellen. Die graag ruzie
zou maken met dwarse peuters over eten, dwarse pubers over
uitgaan, ook al is dat in de dagelijkse praktijk geen pretje.

Roze wolk of toch niet?

'Het is heus niet alleen die roze wolk die je je voorstelt,'
zo vertelden vrienden met kinderen aan het kinderloze
echtpaar. Slaapgebrek, zelfs regelrechte uitputting, ruzies,
opvoedproblemen, angst, onzekerheid. Kinderen leiden volgens
diverse studies niet per se tot geluk. Daniel Gilbert beschrijft
diverse onderzoeken waaruit blijkt dat het huwelijksgeluk
dramatisch daalt na de geboorte van het eerste kind – en dat
dat alleen maar weer toeneemt als het laatste kind het huis uit
is. Hij stelt dat ouders gelukkiger worden van boodschappen
doen en zelfs slapen dan tijd te spenderen met hun kinderen.
Robin Simon, een sociologe aan de Florida State University,
heeft de meest uitgebreide studie gedaan naar dit onderwerp.
Zij verzamelde in 2005 data van 13.000 Amerikanen en
concludeerde: '*In fact, no group of parents—married, single, step
or even empty nest—reported significantly greater emotional well-
being than people who never had children. It's such a counterintuitive
finding because we have these cultural beliefs that children are the
key to happiness and a healthy life, and they're not.*'

Niet blij zijn met je kinderen, of er simpelweg ongelukkig van worden, is lang een taboe geweest, maar inmiddels wel steeds bespreekbaarder. Opvoedtijdschriften als J/M plaatsen artikelen met koppen in de trant van: 'Mijn geheim: 'Ik heb een hekel aan mijn dochter.'

Ook op internet zie je eerlijke schrijfsels, zoals op een forum van *Santé*: 'De bekentenis: ik houd meer van mijn ene kind dan van het andere.' De reacties variëren van begripvol, tot bewonderend, tot regelrechte afkeuring – maar altijd emotioneel. En dan is de vraag: is dit nieuw of was dit altijd al zo? Zijn we slechter als mens nu dan dat we waren? Of hadden onze grootouders misschien andere verwachtingen van kinderen dan wij? Hoe moet je dan een goede moeder of vader zijn?

Andere samenleving

Ook al gaan kinderloze echtparen ervan uit dat kinderen leiden tot meer geluk, het blijkt dus niet zo te zijn (ook al geloven die echtparen er niets van, anders zouden ze wel stoppen met pogingen om toch die kinderen te krijgen, en dat doen ze niet). Net als de grap 'Geld maakt niet gelukkig maar ik huil liever in een Porsche dan in een Eend', doen onderzoeken er niet zoveel toe – maar het is wel interessant om te achterhalen hoe dat dan komt. Wat maakt dan ongelukkig als het gaat om kinderen? Misschien komt het omdat de samenleving waarin wij leven en waarin we onze kinderen moeten grootbrengen zo veranderd is. Net als onze oosterburen zitten wij in een culturele en sociale omwenteling, waar we blij, maar ook onzeker van kunnen worden.

Onze samenleving is in elk geval een stuk ingewikkelder dan die van onze grootouders. Internet, commercie, globalisering, recessies, welvaart, individualisme, scheidingen, co-ouderschap, veranderde en/of uitgebreidere gezinssamenstellingen – als je dit op het bordje van je overgrootmoeder lepelde, zou ze geheid ook stress krijgen. Onze overgrootmoeders trouwden jong, kregen kinderen (véél kinderen) en wisten dat het huwelijk en opvoeden een kwestie van opoffering was. Opoffering van je eigen ik, van je eigen wensen – alles stond in het teken van het gezin. Geen agenda's, geen planningen op elkaar afstemmen, geen huiswerkbegeleiding, geen tv, spelcomputers en al helemaal geen internet. Kinderen waren ook een economische noodzakelijkheid: om mee te helpen op de boerderij, om mee het huishouden te doen, te werken in de fabrieken. Kinderen kreeg je niet voor de lol – maar dat wil niet zeggen dat onze grootmoeders niet net zoveel hielden van onze vaders en moeders als ouders nu van hun kinderen.

Maar omdat wij kinderen wel voor onze lol kunnen krijgen, is de verwachting dan misschien dat zij ons die lol ook geven, ons daadwerkelijk gelukkig kunnen (en daarmee moeten) maken – en wij hen. Nogal een zware klus als je de verantwoordelijkheid voor je eigen geluk bij iemand anders neerlegt, maar zeker als je dat doet bij kinderen, die hun eigen agenda volgen voor wat betreft opgroeien. Maar ook voor onszelf is het een zware opgave, iemand gelukkig maken. En dan komt het gebrek aan controle om de hoek kijken, de machteloosheid die je kunt voelen als je je baby in de couveuse ziet liggen, de overweldigende verantwoordelijkheid die je voelt als je beseft dat dat kleintje volledig afhankelijk van jou is, in deze wereld, die steeds ingewikkelder wordt om zelf in te leven en gelukkig in te zijn. Dat neemt niet weg dat we volop ons best doen om dat voor elkaar te krijgen, maar het kan ouders ook bijzonder onzeker maken.

Opvoedstress

Op 16 oktober 2005 zond *Tegenlicht* een documentaire uit
over opvoeden, genaamd 'Wat doen wij met onze kinderen?'.
Opvoeding van kinderen, hoe ging dat in zijn werk vroeger en
nu, wat doen we anders, wat hetzelfde? Deskundigen kwamen
aan het woord, ouders lieten thuis- en opvoedsituaties zien,
onderzoek werd gedaan naar de wat meer bizarre methodes
van het opvoedspectrum. Een van de onderzoekers was Janneke
Wubs. Zij promoveerde aan de Universiteit van Groningen op
het onderwerp 'Opvoedingsadvies aan Nederlandse ouders
van 1945 -1999' en publiceerde haar proefschrift onder de titel
Luisteren naar deskundigen. Want o ja, ouders luisteren naar
deskundigen, zo goed zelfs dat Janneke Wubs bij *Tegenlicht* zegt
dat ouders in de geschiedenis van het opvoeden van kinderen
(voor altijd dus) nog niet eerder zo onzeker zijn geweest als nu,
en dat de gehele batterij aan opvoedboeken daar waarschijnlijk
een heel grote rol in heeft gespeeld.

Die onzekerheid leidt tot heftige discussies. Eigenlijk zijn de
emoties als het om kinderen gaat niet alleen voorbehouden
aan de ouders ('doen we het wel goed', 'hoe moeten we nu dit
probleem oplossen?'), de gehele maatschappij heeft last van
hoogoplopende gevoelens over onze kinderen en jongeren. Van
de mensen die klagen over geluidsoverlast van speeltuinen (in
België bij decreet verboden: geluidsoverlast van speeltuinen
en scholen mag officieel geen geluidsoverlast genoemd worden
en in Nederland vanaf 1 januari 2010 ook niet meer – hoeveel
klagers moet je hebben voordat een regering zoiets besluit?).
We hebben te maken met scholen die klagen over brutale
kinderen, met voorbijgangers die bang zijn voor hangjongeren,
met gemeentes die bang zijn de schuld te krijgen bij falend
jeugdbeleid, en met bedrijven die jongeren in slechte tijden

op straat zetten, maar wel klagen over afnemende loyaliteit; we hebben te maken met de commercie die bang is geen product meer aan jongeren te kunnen slijten. Zelfs de kerk is bang voor de ziel van de eigen EO-jongeren. We klagen wat af over de jeugd van tegenwoordig. En de media doen hier lustig aan mee. Onderzoek na onderzoek wordt gepubliceerd over kinderen en jongeren, over hoe slecht bijvoorbeeld tv-kijken is, of hoe gevaarlijk internet, over hoe oppervlakkig onze jongeren worden van sociale netwerken en msn, hoe hun taalvaardigheid achteruit gaat van sms'en, hoe hun hersenen 'slechter gaan functioneren van vakantie'...

Uh ja, dat staat er echt. Een rondje lezen over kinderen leverde onder andere dit onderzoek op: vakantie is slecht voor de hersenen van kinderen. Inclusief tips over hoe je de hersenen van kinderen bezighoudt op vakantie.

Vind je het gek dat ouders onzeker worden?

Consternatie en micromanagement

En ging het nu alleen maar over onzekerheid, dan was er niet zoveel aan de hand. Het gaat er ook om wat we doen om die onzekerheid het hoofd te bieden. Eén optie is precies doen wat Wubs zegt dat velen doen, en dat is lezen. Vanaf het moment van zwangerschap rennen legio aanstaande moeders en waarschijnlijk ook vaders als eerste naar de boekwinkel om boeken over zwangerschap en baby's te kopen. Nog meer kersverse moeders gaan op internet, om te googelen op allerlei mogelijke onderwerpen rondom kinderen, maar ook om lotgenoten (dat woord klinkt alsof zwanger zijn een enge ziekte is trouwens) te vinden om mee te praten, emoties te delen, ervaringen uit te wisselen. De januarigroep van Vivamama.nl is er zo een. Allemaal vrouwen die zijn uitgerekend in januari, die in ongeveer dezelfde fase zitten en nu, na de geboorte van hun kinderen, nog steeds uitgebreid contact houden en eigenlijk gewoon bevriend zijn geraakt. Internet is een welkome manier om met onzekerheid om te gaan. 'Het consultatiebureau noemen mijn vriendinnen en ik tegenwoordig het consternatiebureau,' zegt een van de moeders van de januarigroep. 'Ze zaaien doorlopend paniek. Zodra je kind maar een beetje afwijkt van de schema's is het al mis, of kan er iets mis zijn.' Moeders die al dat gepaniek zat zijn, kunnen dan op internet gelijkgestemden vinden. 'Als ik iets wil weten zoek ik het op, of ik vraag het op ons forum. Ik pik er dan uit wat bij mij past. Ik volg alleen de nuchtere adviezen, die passen het best bij ons. Eigenlijk een beetje zoals ik zelf ook ben opgevoed, met een sterke nadruk op rust, reinheid en regelmaat.'

Een andere optie dan zo veel mogelijk informatie vergaren en te kijken wat je ermee doet, is overdreven je best doen het goed te doen. We krijgen minder kinderen, hebben er meer tijd voor en hebben ook meer geld om aan hen te besteden. Die optie hadden onze voorouders niet, dus het is een luxesituatie. Eindelijk kunnen we dan onze kinderen de aandacht geven die ze verdienen en die kinderen uit naoorlogse grote gezinnen nooit hebben gehad. In *Under Pressure* (2008) beschrijft Carl Honoré dat uit diverse onderzoeken blijkt dat hoe kleiner de gezinnen, hoe groter het risico op micromanagement: meer tijd betekent meer bemoeienis met de kinderen. In grotere gezinnen is makkelijker te zien dat kinderen van een en hetzelfde gezin allemaal eigen karaktertjes zijn en vaak heel verschillende temperamenten hebben. Ouders van grotere gezinnen zijn meer geneigd om bepaalde kenmerken aan karakter te wijten, een gegeven waar je weinig in te sturen hebt, hooguit bijsturen.

Maar bijsturen en corrigeren doen we allemaal, want onze kinderen zijn bijzonder belangrijk voor ons.

Maar het was ooit veel erger...

Dit was niet altijd zo. Niet dat onze voorouders niet van hun kinderen hielden, maar ze waren niet doorlopend met ze bezig. Kinderen waren een economische noodzaak en de tijden waren anders. Kindersterfte was erg hoog, veel vrouwen stierven in het kraambed en het was normaal dat er van grote gezinnen maar een paar kinderen de volwassenheid bereikten. In de achttiende eeuw stierven er in een gezin van tien kinderen een of twee voor de eerste verjaardag, van de rest stierven er nog gemiddeld twee voor de tiende verjaardag. Dat hoorde erbij, maar was ook toen voor veel gezinnen een bron van verdriet. Toch hadden kinderen zeker niet dezelfde status als kinderen nu hebben. Tot in de negentiende eeuw was het doden of verlaten van ongewenste baby's behoorlijk gangbare praktijk. In 1860 werd een derde van alle geboren baby's in Milaan gedumpt in portieken of te vondeling gelegd bij speciale vondelingziekenhuizen. Slaan, (seksueel) misbruik, verwaarlozing, het was lange tijd meer regel dan uitzondering. Ook infanticide, het doden van je kind, gebeurde met grote regelmaat. Niet dat het maatschappelijk geaccepteerd gedrag was, maar blijkbaar was het voor jonge en vaak ongehuwde moeders de enige manier om geen sociale outcast te worden. Vanaf 1532 werd in Groot-Brittannië infanticide bestraft met de doodstraf, en het was al gauw de nummer één misdaad van vrouwen. Doordat zo ontzettend veel vrouwen op deze manier de dood vonden is in de achttiende eeuw de straf aangepast. Pas met de komst van de pil (en veilige manieren van abortus) kregen we de mogelijkheid zelf te bepalen wanneer er kinderen komen. Wij wíllen nu onze kinderen, in plaats van dat ze gewoon komen, met alle risico's voor onszelf. En gewenst betekent geliefd en geliefd betekent angst, en angst maakt onzeker.

Onzekerheid betekent in feite alleen maar dat je het graag goed doet, en wie kan daar nou op tegen zijn? Onze kinderen verdienen toch ook het beste? Of in elk geval dat je je best doet? En als je dan met de bril van een liefhebbende ouder kijkt naar alle kinderen, niet alleen naar die van jezelf, dan zie je dat alle ouders hun zelfde best doen, dan snap je dat iedereen thuis voor keuzes staat en die oplost met de beste bedoelingen.

Ook al doet iedereen het op zijn eigen manier, zoveel verschillen die manieren niet van elkaar. Over de grote lijnen is iedereen het wel eens: lijfstraffen doen we niet meer aan (heeft iemand nog een 'rietje' in de kast liggen?), we geven geen dictaten meer, maar we overleggen met elkaar en proberen het in alle gezamenlijkheid op te lossen en we willen dat onze kinderen de beste kansen van de wereld krijgen.

Schuld en boete

En ondanks het feit dat ouders van nu hun kinderen zo goed mogelijk opvoeden in het licht van de eisen van deze tijd, ondanks dat onze kinderen gelukkiger zijn dan ooit, presteert de overheid en de wetenschap het ouders op te zadelen met een dijk van een schuldgevoel. En dan hebben we het niet over dat gevoel dat je misschien toch niet zo had hoeven uitvallen, of dat je een belofte hebt gedaan die je toch niet kon waarmaken waardoor je je even rot voelt ten opzichte van je kinderen. Nee, het gaat om het gevoel dat jij, en jij alleen, totaal en compleet verantwoordelijk bent voor het complete reilen en zeilen van je kind. Voor alles. Ook al is dat volstrekt onredelijk. En dit komt vaker voor dan je denkt, zo blijkt uit het recent verschenen *Een verpletterend gevoel van verantwoordelijkheid. Waarom ouders zich altijd schuldig voelen* van Kaat Schaubroeck. Zij beschrijft daarin de *toxic guilt*: 'Het is het knagende gevoel dat je niet genoeg gedaan hebt, iets ergs had kunnen voorkomen, verkeerde beslissingen hebt genomen, terwijl daar eigenlijk geen reden toe is. Talloze malen vielen in de gesprekken met ouders zinnetjes als: 'Ik weet wel dat ik me niet schuldig hoef te voelen, maar...'

Je schuldig voelen, zonder dat daar een reden voor is, zonder dat er een echte aanleiding is, ouders van nu zijn er echte kampioenen in geworden – met behulp van de wetenschap en de overheid. Is het niet de constante stroom 'wetenschappelijke'[13] artikelen die gaan over wat wel en niet goed is voor de ontwikkeling van het kind, dan is het wel de overheid die steeds minder tolereert dat er een groep 'maatschappelijk onaangepaste' individuen – kinderen, maar vooral jongeren – rondloopt. En maatschappelijk aanpassen, daar ben je als ouder verantwoordelijk voor. Gedrag dat vroeger toen wij nog klein waren, werd gezien als jeugdzonde, of als kattenkwaad zoals bijvoorbeeld spijbelen, nu is het in sommige landen reden om ouders te straffen. Schaubroeck: 'In Groot-Brittannië is het menens. De 43-jarige Patricia Amos, alleenstaande moeder van vijf kinderen, werd in 2002 veroordeeld tot zestig dagen gevangenisstraf omdat ze het spijbelgedrag van twee van haar kinderen niet kordater aanpakte. In haar voetspoor zouden nog tal van andere ouders, sommige met z'n tweeën tegelijk, de gevangenis in vliegen.' Het eind van het hippietijdperk is compleet en voorgoed aangebroken.

Maar hoeveel invloed hebben we nu eigenlijk echt?

Achter dat enorme schuldgevoel ligt het gevoel dat wij voor de volle honderd procent verantwoordelijk zijn voor onze kinderen, voor hun geluk, voor hun gezondheid, voor alles wat ze meemaken, voor alles wat ze leren, ongeacht welke rol de omgeving daar ook maar in kan spelen. En zo komt Judith Harris met haar aanval op het effect van opvoeding.
In haar boek *The Nurture Assumption. Why children turn out the way they do* uit 1998 ontketende zij een heuse controverse.
In haar boek stelt ze dat kinderen vrijwel uitsluitend worden gevormd door genen en door de aanwezigheid en invloed van andere kinderen. Hiermee keert ze zich tegen een onderzoekstraditie waarin nu juist het belang van ouders en een goede opvoeding wordt onderstreept.

Zo zijn er een paar dingen toch wel duidelijk, want op uitputtend wetenschappelijke wijze vastgesteld: ouders die hun leven op orde hebben en goed met andere mensen kunnen opschieten, hebben meestal kinderen met een goed en rijk sociaal leven. En andersom: kinderen van probleemgevallen zijn ook vaak probleemgevallen, zo staat in de recensie van het boek op www.nrcboeken.nl. 'Verder blijken kinderen die met liefde en aandacht zijn behandeld, later meestal sociaal vaardiger en maatschappelijk geslaagder dan kinderen die dat niet zijn.' Judith Harris stelt echter dat kinderen op hun ouders lijken, niet dankzij de opvoeding, maar juist vanwege de genen. Ouders delen de helft van hun genetisch materiaal met hun kinderen. De verschillen tussen ouder en kind worden vooral buiten bepaald: door de vriendjes. De karaktervorming vindt plaats binnen de eigen sociale groep waartoe het kind zich rekent, zowel op school als op straat. Wat ze veel benadrukt in het boek is dat ouders zich onnodig zorgen maken over hun opvoedmethodes. Waar ze wel invloed op hebben is op de keuze van de sociale groep van de kinderen, door in een bepaalde buurt te gaan wonen of door de schoolkeuze.

Haar boek stuitte op veel verzet onder wetenschappers en ouders in de Verenigde Staten en ook hier in Nederland zei psycholoog D. Kohnstamm 'onzin, natuurlijk'. Maar er zijn ook geluiden die het tegendeel beweren, zoals Steven Pinker van het MIT in Boston die in zijn voorwoord van het boek voorspelt dat het boek over een tijdje gezien zal worden als het keerpunt in de geschiedenis van de psychologie. In zijn briljante boek *The Tipping Point* (2000) waarin Malcolm Gladwell onderzoekt waarom sommige ideeën aanslaan en andere weer niet, besteedt hij veel aandacht aan haar onderzoeken, neemt ze aan voor waar en bouwt er zijn theorie op. Toch, ondanks het feit dat dit type boeken wordt geschreven en ook gebaseerd is op daadwerkelijk, en vaak overtuigend, wetenschappelijk onderzoek, maakt het ouders niet minder onzeker en de overheid niet makkelijker of begripvoller in hun houding naar kinderen en hun ouders.

Tot slot: laten we...

Zodra er kinderen komen is het net alsof plotseling iedereen zich met je gaat bemoeien. Tijdens de zwangerschap knopen wildvreemden een gesprekje met je aan, of ze houden het niet alleen bij een praatje maar raken ook je buik aan. Als de kleine geboren is en huilt, staat iedereen klaar met advies over wat te doen, afhankelijk van de persoon variërend van: 'laat maar huilen' tot 'moet ie niet wat aandacht?' Als jouw kind op het schoolplein een ander kind slaat, heb je een probleem met de ouder van het geslagen kind, en zo sta je ook boos bij de buurvrouw op de stoep als zij iets onaardigs tegen jouw dochter heeft gezegd. We leveren commentaar en kritiek op andermans kinderen, maar vinden het maar wat lastig ditzelfde te accepteren. En de kinderloze wereld doet hier lustig aan mee. 'Als ik kinderen had, dan zou ik nooit/altijd/vaak... – noem maar op – doen.' 'Bovendien zou ik nog weleens uitgaan 's avonds en er niet constant met vriendinnen over praten, hoor.' En dan knikken de vermoeide ouders maar eens en denken: wacht maar...

De overheid, gesteund door de wetenschap en deskundigen, doet er nog een schepje bovenop. Het aloude wantrouwen in de opvoedcapaciteiten van de ouders komt ook hierin naar voren. Zo vindt het ministerie van Jeugd en Gezin dat we te gemakkelijk en te snel scheiden en heeft daardoor de flitsscheidingen afgeschaft en een ouderschapsplan verplicht gemaakt. Uit eigen onderzoek concluderen ze dat ouders grenzen stellen en consequent blijven moeilijk vinden. Dat ouders liever overleggen met hun kinderen of pubers om er samen uit te komen, daar hoor je dan weer niets over. Kranten en tijdschriften staan dag in dag uit bomvol met artikelen over wat slecht en wat goed is voor kinderen. Soms zijn de conclusies die er worden getrokken schrikbarend bot en ondoordacht. ('Een op de drie kinderen kampt met stress,' zo kopte *De Standaard* op 30 april 2010. 'Er is ook een verband tussen het stressniveau en de gezinssituatie waarin kinderen opgroeien. 'Kinderen uit eenoudergezinnen hebben er meer mee af te rekenen,' aldus stressspecialist dokter Luc Swinnen.' Specialisten en wetenschappers kennende zal hij het veel genuanceerder verteld hebben en ingebed hebben in een context, maar dit ene zinnetje bleef ervan over in de krant. Je zult maar een eenoudergezin zijn en je stinkende best doen.)

Of deskundigen nu wel of niet gelijk hebben, hoeveel ze ook zeggen, wat ze ook beweren, wat de staat ook wil... Ouders staan zelf voor de schone taak hun eigen kinderen op te voeden in deze complexe wereld waar niemand de handleiding van heeft. Ga er maar aan staan. En dan wordt het er niet makkelijker op met het gepaniek over internet en games en ziektes en noem maar op, laat staan met al die goedbedoelde maar onwelkome raadgevingen van anderen. Wij realiseren ons trouwens dat we met dit boek hier ook aan bijdragen, in de hoop dat we wat van de stress kunnen wegnemen door te laten zien hoe het nu echt gaat met onze kinderen en jongeren. En o, wat gaat het goed!

We zien dat onze kinderen ondanks de overdaad en de welvaart meer genieten van samen met elkaar dingen doen dan nog meer spullen verzamelen. We zien dat ze hun leven delen met elkaar, leren hoe ze vriendjes kunnen maken en behouden, maar dat ze ook weten dat sommige vriendjes nu leuk zijn, en later in je leven weer anderen. We zien dat ze leren van alles wat ze doen, dat deze wereld met al die prikkels als resultaat heeft dat ze meer leren, kennen, weten en nadenken dan ooit tevoren. Wie had ooit kunnen denken dat het spelen van games kinderen leert het achterliggende plan te analyseren? Of dat die suffe realityshow kinderen en jongeren emoties leert lezen op gezichten? Dat internet met al zijn rare lui en gekke filmpjes kinderen leert dat er veel kennis te halen is, als je maar zoekt. Maar hadden we vooral gedacht dat onze kinderen zo dol zouden zijn op ons, zo dol zelfs dat ze het liefst willen dat wij ook onszelf kunnen zijn, onszelf kunnen ontwikkelen – want jezelf ontwikkelen is *de* voorwaarde voor geluk? En geluk gunnen ze niet alleen zichzelf, maar ook ons, de belangrijkste mensen op de hele wereld.

De toekomst

Wat de toekomst gaat brengen, weten we niet. Wisten we het maar, dan zaten we nu met die pina colada op dat tropische strand – alhoewel dat ook weer snel saai wordt. We zien wel een aantal zaken gebeuren waar we op moeten letten. Zoals we in het begin van dit boek al stelden is deze groep kinderen en jongeren een nieuwe generatie, met nieuwe kenmerken, nieuwe eigenschappen, nieuwe waarden en normen. We weten ook dat de wereld waarin zij leven in een razendsnel tempo verandert. Kunnen voorspellen hoe die nieuwe eigenschappen van de jeugd dan precies iets gaan bereiken, dat weten we niet. Maar we weten wel dat hun gedrag consequenties heeft.

Denk aan de scholen, aan het onderwijs en aan de manier waarop deze generatie informatie tot zich neemt, denk aan kennis en aan de tv die ze kijken en de games die ze spelen, met die totaal andere manier van beelddenken die ze daarvan krijgen. Denk aan de betrokkenheid die ze laten zien en aan het besef dat ze het met zijn allen moeten doen, denk ook aan de vele verschillende kinderen in een klaslokaal en hoe die elkaar beïnvloeden en hoe ze leren van en met elkaar. Maar denk ook aan een oude wereld, de wereld van de financiële industrie, van de grote mediagiganten, van de farmaceutica en de voedselindustrie. Denk aan de oude geldmakers en weet dat zij met lede ogen de cultuur van delen bekijken en zich erg hard bezinnen op tegenmaatregelen in de vorm van nog meer controle, nog meer patenten, nog meer copyrights. Als zij hun zin krijgen, en soms krijgen ze dat, dan maken we in één klap van onze jeugd criminelen door hun download- en deelgedrag.

In plaats van dat we een nieuwe wereld creëren waarin delen en geld verdienen elkaar niet hoeven uit te sluiten. Denk ook aan de 'state of fear', de manier waarop er geld wordt gemaakt met angsten, en hoe angstiger we zijn met zijn allen, hoe meer we onze kinderen en jongeren binnenhouden en opsluiten voor invloeden van buitenaf (of geld uitgeven[14]).

Selluf doen!

En natuurlijk gaan er dingen mis, hebben kinderen problemen, kunnen pubers het ontzettend moeilijk hebben. Ze kunnen onzeker zijn, verdrietig, angstig, stress hebben – zij zijn gevoeliger dan wij wat dat betreft. Maar je moet niet overdrijven en denken dat deze hele nieuwe wereld alleen maar leidt tot hel en verdoemenis en dat onze kinderen en jongeren willoze slachtoffers zijn in plaats van denkende en handelende actoren. Tijdens een van onze lezingen stelde een van de aanwezigen: 'Ja, maar wat is dan het effect van al die sociale netwerken? Want je hoort ook dat veel jongeren zelfmoord plegen.' In één adem werd een profiel plaatsen op Hyves, kletsen met je vrienden en jezelf profileren op internet gelijk getrokken met het plegen van zelfmoord. Dat is echt ontzettend kort door de bocht, en hoe verschrikkelijk zelfmoord onder adolescenten ook is, laten we onszelf nu niet de kop dol maken door dit soort extreme gevolgtrekkingen te maken.

Want een van de belangrijkste conclusies die wij maar steeds weer trekken als we even de stapel wetenschap links laten liggen en kijken naar kinderen en luisteren naar wat ze zeggen: ze zijn levende, denkende, voelende mensjes met een eigen karakter. Het zijn geen ruwe brokken klei die je kunt vormen zoals jij dat wilt en waar elke duimafdruk die je maakt in zichtbaar blijft. Vanaf het moment dat ze geboren zijn hebben ze al een eigen karakter en temperament, en van daaruit gaan ze met open blik en groot enthousiasme vooruit de wereld in. Die ene keer dat je als ouder geen geduld meer kon opbrengen en uit je slof schoot, de keer dat ze gevallen zijn en een gat in het hoofd kregen, die keer dat die docent ze oneerlijk behandelde, die keer dat ze op internet iets raars zagen, maken geen trauma's – zolang er volwassenen in hun leven zijn die van hen houden en ze bijstaan. Maar geen volwassenen die hun leven dan maar voor ze gaan leiden, om ze te behoeden voor al het kwade. Dat moeten – en willen ze – toch vooral 'selluf doen!'.

'Waarom ben jij hier?'

Er zijn kansen, heel erg veel zelfs, maar ook een flink aantal bedreigingen, en grappig genoeg komen die niet vanuit de kinderen en jongeren maar vanuit die wereld die machteloos staat te kijken naar wat ze nu weer allemaal uitvreten en bedacht hebben. In plaats van lachen om puberale streken, vertederd kijken naar dat drukke jochie of bewondering hebben voor die inventieve internetondernemer, plakken we de negatieve etiketjes.

Maar een van de belangrijkste redenen om een groot probleem met deze nieuwe generatie te hebben is dat zij ons volwassenen heel ongemakkelijke vragen stellen en onze manier van denken niet klakkeloos overnemen maar er stevige vraagtekens bij zetten. 'Papa, waarom zijn wij hier?' vroeg Sien aan Jeroen. 'Waarom ben jij hier?

Wat is jouw bijdrage aan deze aarde, aan dit geheel, aan ons, aan de wereld?' hoorden we jongeren vragen aan volwassenen. 'Wie ben jij dat jij dit allemaal maar kunt zeggen of doen?' hoorden we weer anderen vragen. Vragen waarop we maar met moeite antwoord kunnen geven, maar pijnlijk betekent nog niet dat we er voor weg mogen kruipen. Wij voorgaande generaties zadelen onze jeugd op met alle problemen die wij hebben veroorzaakt, en we verwachten dat zij alles wel even zullen oplossen. Dat ze daar niet echt van gecharmeerd zijn, moge duidelijk en ook begrijpelijk zijn.

Laten we...

Kinderen en jongeren zijn unieke mensen in een unieke tijd, in een unieke ontwikkelingsfase met unieke eigenschappen. Maar aan de andere kant zijn het ook gewoon mensen. Mensen zoals jij en ik, evolutionair gericht op overleven, die wel een stootje kunnen hebben, die flexibele hersenen hebben en niet zomaar autistisch raken van wat veel schermpjes open en wat dingen tegelijk doen, die niet standaard een hersendefect hebben als ze druk zijn, die niet dommer worden omdat ze het leuk vinden video's op YouTube te kijken of te gamen. Kinderen en jongeren zijn gericht op leren en op overleven in deze wereld, want ze kunnen niet anders. Deze wereld is hun natuurlijke *Umwelt*, een wereld die ons misschien vreemd en kwaadaardig overkomt, is voor hen hun natuurlijke grondgebied. En de belangrijkste mensen daarin zijn wij, hun ouders. Misschien lijkt dat niet zo als je weerbarstige puber alweer later thuiskwam dan was afgesproken, maar je bent het wel.

Onze wereld wordt bevolkt door rare mensen, leuke mensen, mooie mensen, akelige mensen. Angst voor internet, voor sociale netwerken, voor virtuele werelden, voor games, betekent in feite angst voor mensen. Internet en alles wat daarop gebeurt heeft te maken met mensen – geen machines, maar levende mensen in alle soorten en maten. Laten we onze kinderen en jongeren niet binnenhouden maar juist leren omgaan met al die verschillen en leren selecteren wat mooi en goed is, en wat niet. Laten we naar ze kijken en ze zien voor wat ze zijn, laten we eerlijk tegen ze zijn en ze met respect behandelen, net als ieder ander mens. Laten we stoppen met de hypocrisie waarin we kinderen en jongeren verwijten wat wij zelf niet goed hebben gedaan. Laten we weer zelf geloven in onze eigen deskundigheid en onze kinderen geen pillen aanpraten als we zeker weten dat ze die niet nodig hebben. Laten wij leren volwassen te zijn en onze kinderen en jongeren te behandelen als kinderen en jongeren: met liefde en met respect en niet als defect en als probleem. En laten we alsjeblieft stoppen met dat eeuwige schuldgevoel over dat we het niet goed doen. We doen het uitstekend, en als we leren vertrouwen op ons eigen buikgevoel en intuïtie en zien in plaats van kijken, dan zijn we weer een stapje verder. Wij houden van onze kinderen en zij van ons.

Jeroen & Inez

Bedankt!

Jeroen:

Heel dankbaar ben ik iedereen, Geke en de kinderen in het bijzonder, die me heeft laten inzien dat dat wat ik dacht het einde was, de vrijheid bleek te zijn. Zonder hun steun en onvoorwaardelijke liefde had ik het afgelopen jaar zeker niet overleefd. Door hen heb ik de energie, mijn droom en het zelfvertrouwen die mij zo wreed waren ontnomen weer hervonden. Ook alle anderen die een knauw hebben opgelopen en mij ondanks dat zijn blijven steunen ben ik hier eeuwig dankbaar voor. Dus Annemarie, Arie, Bas, Babette, broertjes, Edu, Job, Liliane, Liset, mama, Maarten, Nick en pa THANX.

En natuurlijk INEZ BEDANKT dat ik dit boek weer samen met je mocht doen!

Inez:

Dank Pedro de Bruyckere die het boek dat hij samen met Bert Smits schreef, Is het nu *Generatie* X, Y *of Einstein*? persoonlijk bij mij thuis kwam brengen en me tijdens de koffie vertelde over Steven Johnson, het Flynn-effect en Wordle, dat leuke programmaatje waarmee je *tagclouds* kunt maken en kunt zien wat het meest gebruikte woord is – en van dit boek is dat, één keer raden.. jawel, het woord 'kinderen'. Zijn updates op Twitter zijn een dagelijkse informatie- en inspiratiebron voor mij, waar ik ook voor dit boek dankbaar gebruik van heb gemaakt. Lees zijn boek over deze nieuwe generatie, dat echt *hands-on* tips geeft over de omgang met jongeren, iets wat wij hebben nagelaten. Dank ook Annette, mijn zus, die vanaf het begin heeft meegelezen en haar kritische blik als moeder van een tweeling en als senior marktonderzoeker op het document heeft losgelaten. Net als Geke, die vanuit Barcelona meelas en de juiste vragen bij de juiste kwesties stelde. Ook Barbara, die het helemaal niet erg vond vlak voor de deadline 's avonds laat nog mijn stukken te corrigeren. Als dit boek een leesbaar geheel is, dan is dat vooral aan hen te danken. Voor de moral support dank ik Adri, Anne, Annette, Barbara, Berry, Bianca, Cees, Fred, Geert, Gert, Jaap, Marthine, Nathalie, Robert en papa en mama.

En dan natuurlijk nog Fred, de liefste van de wereld die in 2008 mijn man is geworden en me heeft geïntroduceerd in een nieuwe wereld, die van de stiefmama's. Dank ook Sevrin en Melisa voor het accepteren van deze 'stiefheks' en voor het feit dat jullie mede mijn inspiratie zijn en dat ik jullie verhalen schaamteloos kan misbruiken in schrijfsels en lezingen.

En Jeroen? IDEM en dat we er nog maar een aantal samen mogen maken!

Verantwoording

Dit boek is het resultaat van jarenlang praten met kinderen en jongeren over allerlei denkbare onderwerpen: van alcohol tot verkeersveiligheid, van softdrugs tot veilig vrijen, van illegaal downloaden tot politiek, van speelgoed tot wonen, van school tot werken. Deze gesprekken hadden altijd tot doel te achterhalen hoe het écht zit bij kinderen en jongeren, wat ze echt raakt, waar ze echt van balen of juist enthousiast van worden. Een flink aantal van deze gesprekken zijn gevoerd door SARV International, een kwalitatief onderzoeksbureau dat al sinds de jaren tachtig gespecialiseerd is in jeugdonderzoek. Zij weten als geen ander jongeren aan het praten te krijgen, maar met name ook hun non-verbale lichaamstaal te interpreteren. Daarnaast hebben we een brede literatuurstudie gedaan, want er wordt veel geschreven over jeugd en jongeren. Sinds het uitkomen van *Generatie Einstein* in 2006 worden we regelmatig gevraagd onze visie te vertellen aan diverse typen publiek, Jeroen met name aan de commerciële sector (marketeers), Inez met name aan de publieke sector (onderwijs, kenniscentra). De reacties die we daar kregen varieerden van herkenning en acceptatie ('goh, wat leuk dat die kids zo zijn') of herkenning zonder acceptatie ('rare lui die jongeren') tot regelrechte afkeuring ('de jeugd van tegenwoordig mag een doodschop krijgen') – en ja, deze laatste hoorden we echt. Al dit leidde tot onze visie zoals we die hebben neergelegd in eerst *Generatie Einstein* en nu in *Ik ook van jullie!* We pretenderen hiermee niet alles te weten en overal een antwoord op te hebben, maar hopen wel een beetje inzichtelijker gemaakt te hebben waar onze kinderen en jongeren vandaag mee te maken te hebben. Wij zien erg leuke dingen en we hopen met dit boek een beetje van de angst en het negativisme over de jeugd te hebben weggenomen.

Over de auteurs

Jeroen Boschma (1966): na versneld afgestudeerd te zijn aan de kunstacademie van Arnhem is hij van beeldend kunstenaar 'communicator' geworden. Het creëren binnen strakke randvoorwaarden was een verademing na vijf jaar de kunstenaarsharlekijn gespeeld te hebben in Berlijn, Parijs, Los Angeles en Londen. Door de geboorte van zijn eerste dochter heeft hij ooit Keesie bedacht en opgericht, een bureau gespecialiseerd in mooie dingen bedenken om de wereld voor de jeugd een beetje mooier te maken. Na de ontdekking van een geheel nieuwe generatie die 'Einstein' werd gedoopt en het samen met Inez geschreven boek met als titel *Generatie Einstein*, is vooral het helpen en initiëren van initiatieven met eenzelfde doel en vanuit dezelfde passie zijn 'werk'.

Inez Groen (1968): ooit afgestudeerd aan de Rijksuniversiteit Groningen in de studie Beleid en Bestuur in Internationale Betrekkingen, maar besloot na een verhelderend reisje langs de instellingen van de Europese Unie dat dat geen geschikte plek voor haar was... er zit nu eenmaal geen diplomatenbloed in haar. Via allerlei omwegen in de uitgeverijbranche en de gamesindustrie kwam ze uiteindelijk terecht bij Keesie, waar ze zeven jaar lang voor kinderen en jongeren mocht werken. Deze passie liet haar niet meer los en resulteerde in het boek *Generatie Einstein* dat ze met Jeroen schreef. Sindsdien praat ze graag en veel (en soms te lang) over kinderen en jongeren van nu, in de hoop de wereld te kunnen veranderen in hun houding naar de jeugd.

Noten

1. Het Trimbos-instituut (Netherlands Institute of Mental Health and Addiction) doet al jaren onderzoek naar jongeren en diverse vormen van risicogedrag. In het rapport *Jeugd en Riskant gedrag uit 2007, Kerngegevens uit het Peilstationsonderzoek Scholieren*, dat elke vier jaar verschijnt, is het opvallendste gegeven dat vergeleken met het onderzoek uit 2003 jonge kinderen van twaalf tot veertien minder zijn gaan drinken. Bij jongeren vanaf vijftien jaar zijn geen verschillen met voorgaande jaren. Het cannabisgebruik bereikte een piek in 1996 maar neemt sindsdien gelijkelijk af. Van alle jongeren heeft 17% ooit geblowd en 8% nog in de laatste maand. Het gebruik van harddrugs als xtc, cocaïne, amfetamine en heroïne blijft geleidelijk dalen en komt weinig voor onder scholieren. Het percentage jongeren dat de afgelopen maand nog heeft gebruikt, bedraagt voor alle harddrugs en paddo's minder dan 1. Het aantal scholieren dat ooit heeft gerookt bevindt zich op het laagste niveau sinds 1988 en is nog steeds dalende.
Het Trimbos-instituut denkt dat dit vooral komt door een gedragsverandering van ouders en opvoeders. Er is de laatste jaren steeds meer bekend geworden over welke schade bijvoorbeeld alcohol kan aanrichten bij jongeren, vooral bij de jongsten tot zestien jaar. Ook stelt Trimbos dat de anti-alcoholcampagnes van de overheid geholpen hebben ouders bewuster te maken van de risico's waardoor zij zelf vaker in actie komen bij drankbeluste kinderen.
2. Minder dan 2%.
3. Voor het eerst uitgesproken op 2 maart 1980 in een rede voor de Rijksuniversiteit Groningen.

4. Inmiddels zijn het er 493.

5. *Speel- en vrijheidsbeleving van kinderen.* (2009), SARV International.

6. Er zijn diverse onderzoeken gedaan waarbij ratten zijn onderzocht op ontwikkeling van de hersenen. http://www.newhorizons.org/neuro/diamond_brain_response.htm en http://www.cerebromente.org.br/n11/mente/eisntein/rats.html zijn leesbare artikel over de effecten van een rijke, stimulerende omgeving op de hersenen van ratten.

7. Hoekstra, Ed, H*et buitenland: buitenspeelruimte voor 0-4-jarigen en Vrijbuiten: buitenspeelruimte voor 4–12 jarigen*, Elsevier 2000.

8. De iPad is de grote broer van de iPhone – een tablet met een touchscreen (zie hier het gebrek aan Nederlandse woorden trouwens). Met je vingers bedien je het apparaat, door te tikken, te schuiven, te knijpen of te draaien. Er zijn duizenden applicaties, of programma's, te downloaden, van e-boeken tot games van educatieve tot kantoorprogramma's.

9. Deze laatste categorie is niet bewust bedoeld als educatief, maar onderschat niet wat een kind er toch van leert, al is het alleen maar handigheid met een toetsenbord, verhogen van de reactiesnelheid, zien wat er op een scherm gebeurt, noem maar op.

10. Zij promoveerde aan de Universiteit van Groningen op het onderwerp 'Opvoedingsadvies aan Nederlandse ouders van 1945-1999' en publiceerde haar proefschrift onder de titel *Luisteren naar deskundigen.*

11. Voor dit boek lieten wij een aanvullend kwalitatief onderzoek uitvoeren door SARV international. Voor dit onderzoek werden in negen groepsgesprekken jongens en meisjes van 8 t/m 15 jaar en hun vaders en moeders geïnterviewd.

12. E. Carlsen & N. Skakkebaek, 1992.

13. Soms zien kranten ook wel in dat al die artikelen waarin iets wetenschappelijks wordt gesteld met ernstige gevolgen voor kinderen, dat ze daar niet altijd mee weg kunnen komen. Zo ook in het artikel 'Ouder van crèchekind moet maar geen krant lezen' stelt de auteur, vader van drie dochters die geen schadelijke gevolgen overhielden aan hun crèchetijd, zo schrijft hij zelf: 'Begin maart staat op de voorpagina van *Trouw* dat crèches schadelijk zouden zijn voor kinderen tot vijftien maanden die veel dagen op de opvang doorbrengen. Veertien dagen later luidt de opening dat crèches juist niet schadelijk zijn. (...) Juist uitspraken als crèches zijn schadelijk verdienen een gezonde journalistieke achterdocht en zouden op zijn minst aanleiding moeten zijn voor een belrondje langs collega-wetenschappers voordat tot prominente publicatie wordt overgegaan. Immers: al vaak is gebleken dat het feit dat deze uitspraken gedaan zijn door een wetenschapper allerminst een garantie is voor het waarheidsgehalte ervan, hoe bedenkelijk deze constatering op zich ook is.'

14. www.babywalz.be: veiligheid voor alles! Nu: magnetische kinderbeveiliging, slechts €13,99. Goed beschermd, dag en nacht! Box inclusief bekleding Piraat Pit! www.kinderveiligheidswinkel.nl: bijt je kindje op de rand van het ledikant? Plak dan deze zachte strip om de rand van het ledikant en je kindje kan de rand niet meer kapot bijten en geen splinters in zijn of haar mond krijgen. 7 cm breed, 1,25 meter lang, gemaakt van medisch kunststof (bevat geen weekmakers!)... en noem maar op.

Literatuur

A

'ADHD Kinderen. Oorzaken'. Het Trimbos-instituut op
www.trimbos.nl.

'Albert Einstein'. Wikipedia.

Ali, Lorraine. 'True of False. Having Kids Makes You Happy'.
Newsweek, 7-14 juli, 2008. An Overview of child well-being in rich countries. A
comprehensive assessment of the lives and well-being of children and adolescents
in the economically advanced nations (2007). UNICEF Innocenti Reseach
Centre report Card 7.

B

Baker, Aryn. 'The Afghan Age Divide'. Time, 24 augustus 2009.

Bakker, Esther. 'Tolerante ouders en ruime huizen houden jongeren
thuis'. De Volkskrant Online, 1 oktober 1997, bijgewerkt op 16 januari
2009.

Beintema, Nienke. 'Puberparadox'. NRC Handelsblad, 11 & 12 april
2009.

Berg, Geert van den. 'Prevalentie van ADHD'. Nederlands
Jeugdinstituut, juli 2008.

Bergsma, Ad & Peter de Greef. 'Jeugd vindt zichzelf veel te verwend'.
De Volkskrant Online, 13 november 2008.

Bergsma, Ad & Peter de Greef. 'Jongere is vol van liefde... voor
zichzelf'. De Volkskrant Online, 13 november 2008.

Boschma, Jeroen & Inez Groen (2007). Generatie Einstein. Slimmer,
sneller en socialer. Communiceren met jongeren van de 21ᵉ eeuw. Amsterdam:
Pearson Education.

Brinkgreve, Christien (2009). Vroeg mondig, laat volwassen. De hoge eisen
van de keuzevrijheid. Amsterdam: Uitgeverij Augustus.

Burke, Catherine. 'Theories of Childhood'. From: Encyclopedia of Children and Childhood in History and Society, 2004. www. encyclopedia.com.

C

Cardoso, Silvia Helena, PhD and Renato M.E. Sabbatini, PhD. 'Learning and Changes in the Brain'. http://www.cerebromente.org. br/n11/mente/eisntein/rats.html, 1997.

Coca, Nithin. 'Barack Obama and the Youth Vote'. www.associatedcontent.com.

Charlie bit my finger. Diverse video's op YouTube.

Crone, Eveline (2008). Het *puberende brein*. Amsterdam: Uitgeverij Bert Bakker.

Crumley, Bruce. 'France's New Strike Force. Frustrated and funny, young activists reject traditional forms of protest – and force change'. *Time*, 31 augustus 2009.

D

'Dan maar een eigen vakbond'. Oprichtingsartikel Alternatief Voor Vakbond. De *Volkskrant*, 1 oktober 2005.

Dasselaar, Arjan. 'Google ziet alles'. E*lsevier*, nummer 35, 29 augustus 2009.

'De Balansschool. Generatie Einstein over herontwerp MBO'. Procesmanagement herontwerp MBO, januari 2007.

De Bruyckere, Pedro & Bert Smits (2009). Is *het nu Generatie* X, Y of *Einstein? FAQ voor leraren, opvoeders en ouders*. Mechelen: Plantyn.

'Denkend aan Holland'. HP/De *Tijd*, 24 juni 2005.

Derksen, Jan (2009). Het *narcistisch ideaal. Opvoeden in een tijd van zelfverheerlijking*. Amsterdam: Uitgeverij Bert Bakker.

Diamond, Marian Cleeves. 'Response of the Brain to Enrichment'. http://www.newhorizons.org/neuro/diamond_brain_response.htm, 2001.

Dykstra, Pearl & Aafke Komter (2004). 'Hoe zien Nederlandse families eruit?' *Demos*, december 2004. Den Haag: Nederlands Interdisciplinair Demografisch Instituut.

E

'Eenderde ouders twijfelt over opvoeding'. AD O*nline*, 7 oktober 2009.

Ekkelboom, John. 'De beste ballen zijn Fins'. *De Volkskrant Online*, 18 mei 1996, bijgewerkt op 16 januari 2009.

Elton, Ben (2007). *Blind Faith*. London: Black Swan.

Elzinga, Anne. 'Zelfvertrouwen. Zij gelooft in mij'. J/M, maart 2007.

Ezinga, dr. Menno. 'Afwijkend gedrag bij pubers is (niet meer dan) normaal'. Nederlands Studiecentrum Criminaliteit en Rechtshandhaving, 13 mei 2009, www.kennislink.nl.

F

Feinstein, Sheryl (2004). *Secrets of the Teenage Brain. Research-Based Strategies for Reaching & Teaching Today's Adolescents*. Thousand Oaks, California: Corwin Press.

'Flaters op Facebook'. *De Standaard Online*, 25 augustus 2009.

Free hug. Diverse videos op YouTube.

'Furby-dieven'. *De Volkskrant Online*, 1 november 1999.

G

Gezinnen van de toekomst. Opvoeding en opvoedingsonder-steuning. E-Quality (2008).

Gezinnen van de toekomst. Cijfers en trend. E-Quality (2008).

'Gezinsbond komt bij je thuis 'opvoedingsparty's' geven'. HLN.*be*, 11 december 2008.

Gilbert, Daniel (2006). *Stumbling on Happiness*. New York: Alfred A. Knopf.

Gladwell, Malcolm (2000). *The Tipping Point. How Little Things Can Make a Big Difference*. Boston: Little, Brown and Company.

Grenzen stellen bij pubers: vasthouden en loslaten. Onderzoek onder ouders van pubers ten behoeve van het Opvoeddebat. Marketresponse, 10 december 2009.

H

Harford, Tim (2008). *The Logic of Life. The Rational Economics of an Irrational World.* New York: Random House.

Harrington, Joel F. 'Childhood and Childrearing'. From: Europe, 1450 to 1789: Encyclopedia of the Early Modern World, 2004, www. encyclopedia.com

Higgins, Edmund. 'Welke tol eisen ADHD-medicijnen?' *Psyche & Brein*, nummer 4 2009.

Honoré, Carl (2008). *Under Pressure. Rescuing our children from the culture of hyper-parenting.* London: Orion Books.

How Teens Use Media. A Nielsen report on the myths and realities of teen media trends. Nielsen, juni 2009.

I

Ik ook van jullie. Drie generaties in ontwikkeling. (2010). SARV International.

J

Jeugd en riskant gedrag. Kerngegevens uit het Peilstationonderzoek Scholieren. 2007. Trimbos-Instituut.

Hoekstra, Ed. 'Het buitenland: buitenspeelruimte voor 4-12 jarigen', Elsevier 2000.

Johnson, Steven (2005). *Everything Bad is Good for You.* London: Penguin Books.

Juul, Jesper (2004). *Gezinsleven. Nieuwe waarden voor een nieuwe tijd.* Amsterdam: Uitgeverij Archipel.

K

Kalmijn, Matthijs & Annette Scherpenzeel. 'Traditionele jongeren en onafhankelijke ouderen.' *Demos*, jaargang 25, nummer 2, februari 2009.

Kinderen en internet 2-8 jaar. Mijn kind online special. Den Haag: Stichting Mijn Kind Online.

Kleijne, Maarten de & Liliane van Lier (2004). *Vol verwachting klopt ons hart... Sinterklaas anno* 2004. Hilversum: SARV International.

Kohnstamm, Rita (2002). *De Kleine Ontwikkelingspsychologie. Deel III: De Adolescentie.* Houten/Diegem: Bohn Stafleu Van Loghum.

Kutner, Lawrence & Cheryl K. Olson (2008). *Grand Theft Childhood. The surprising Truth about Violent Video Games.* New York: Simon & Schuster.

L

Leeuwen, Coreanne van. 'Ik ga niet zomaar Karlijn slaan, dat is compleet nutteloos.' *De Gooi en Eembode*, 12 maart 2009. Zie ook www.dream-support.nl.

Levine, Madeline (2006). *The Price of Privilege. How Parental Pressure and Material Advantage Are Creating a Generation of Disconnected and Unhappy Kids.* New York: HarperCollins Publishers.

Levitt, Steven D. & Stephen J. Dubner (2005). *Freakonomics. A Rogue Economist Explores the Hidden Side of Everything.* London: Penguin Books.

Lobel, Leslie Karen. 'Self-love: Is it Selfish?', *eNotalone.com*, 2009.

Louv, Richard (2008). *Last Child in the Woods. Saving our children from Nature-Deficit Disorder.* New York: Algonquin Books.

M

'Marie Curie'. Wikipedia.

McGhie, Juliet. 'Pipi's big buy. *Rodney Times*, Stuff.co.nz, 21 mei 2009.

Meijer, Hilbert. 'Opvoedexperts maken ouders onzeker'. *Nederlands Dagblad Online*, 21 november 2008.

'Minder jonge drinkers'. Nos *Headlines*, headlines.nos.nl, 12 juni 2008.

N

Nationaal Gaming Onderzoek 2008. Een totaalbeeld van gaming in Nederland. Brand & Games/TNS Nipo/Newzoo, 18 juni 2008.

Nationaal Gaming Onderzoek 2008. Een totaalbeeld van gaming in Nederland. Brands & Games, 18 juni 2008.

Nationale Jeugdlezing 2005. Kinderen van hun tijd. Toen, nu, straks. Jubileumeditie: Tien jaar jeugdlezing, 2 november 2005. Humanitas/ Trouw/Jantje Beton.

Nieuwe gezinnen. Scheiding en de vorming van stiefgezinnen. E-Quality (2008).

O

Obbinke, Hanne. 'Prestaties slechter op gemengde school.' Trouw Onderwijs. 18 juni 2010.

One laptop per child, www.laptop.org.

'Ouder van crèchekind moet maar geen krant lezen'. Trouw, 20 maart 2002.

'Ouders en peren; Judith Harris' aanval op het effect van opvoeding'. NRC Boeken Online, 5 december 1998.

'Ouders zijn weer strenger'. Het Nieuwsblad Online, www.nieuwsblad. be, 22 september 2009.

'Overbezorgde ouders maken hun kind ongelukkig en onzeker'. Vandaag.be, 12 juni 2009.

P

Penn, Mark J. & E. Kinney Zalesne (2007). Microtrends. Suprising tales of the way we live today. London: Penguin Books.

Playreport. International Summary of Research Results. (2010). Family Kids and Youth for Ikea.

R

Reijn, Gerard. 'Gulle ouders, verwende kinderen'. *De Volkskrant*, 1 oktober 2008.

Ruggeri, Amanda. 'Young Voters Powered Obama's Victory While Shrugging Off Slacker Image'. U.S. *News Online*, 6 november 2008.

S

Schaubroeck, Kaat (2010). *Een verpletterend gevoel van verantwoordelijkheid. Waarom ouders zich altijd schuldig voelen*. Breda: Uitgeverij De Geus.

5. *Speel- en vrijheidsbeleving van kinderen*. (2009). Hilversum: SARV International.

Spelenonderzoek (2009), SARV International.

Spelen met wormen en aarde. Het ontwerp van een duurzame speeltuin. Afstudeerscriptie Sarah Los, TU Delft.

Spiering, Hendrik. 'Stijgende intelligentie beter verklaard'. NRC *Handelsblad Online*, 19 april 2008.

T

Tapscott, Don (2009). *Grown Up Digital. How the Net Generation is Changing Your World*. New York: McGraw-Hill.

Wesch, Michael. *The Anthropology of YouTube*. www.youtube.com/mwesch, 2008.

Truijens, Aleid. 'Wat is de ideale basisschool?'. http://www.vkbanen.nl/onderwijs/750526/Wat-is-de-ideale-basisschool.html, 15 september 2009.

U

Understanding the Brain: The Birth of a Learning Science (2007). OECD: CERI publication.

V

'Vakantie is slecht voor hersenen kinderen'. HLN.*be*, 6 augustus 2009.

Veenhoven, Ruut & Michael Hagerty. 'Rising Happiness in Nations 1946-2004. A reply to Easterlin'. *Social Indicators Research*, 2006, Vol. 79, pp 421-436.

Verdegaal, Erica. 'Onzekere ouders, financieel hopeloze kinderen'. NRC *Next Online*, 23 juni 2009.

'Verenigde Staten: game industrie'. EVD op www.evd.nl, 14 augustus 2009.

'Verenigde Staten: trends in de gamingindustrie'. EVD op www.evd. nl, 12 mei 2009'

Video: Leerlingen verdwijnen uit klas tijdens les'. Het *Nieuwsblad Online*, www.nieuwsblad.be, 20 september 2007.

W

Weeda, Frederiek. 'Goede ouders zijn vuurtorens met heldere signalen'. NRC *Boeken Online*, 12 juni 2009.

Westcott, Kathryn. 'Why are Dutch children so happy'. BBC *News online*, 14 februari 2007.

Westenberg, prof. dr. P.M. 'De Jeugd van Tegenwoordig!' Dies-oratie (verkort) uitgesproken tijdens de 433ste dies natalis, 8 februari 2008, Universiteit Leiden.

'Willem Röntgen'. Wikipedia.

Wonen in de toekomst. Scholieren aan zet. Den Haag: Ministerie van VROM (2007).

Wubs, Janneke (2004). *Luisteren naar deskundigen. Opvoedingsadvies aan Nederlandse ouders* 1945-1999. Assen: Koninklijke Van Gorcum BV.